PAIS APOSTÓLICOS

PAIS APOSTÓLICOS

Traduzido por ALMIRO PISETTA

Os textos de referência bíblica passíveis de identificação foram extraídos da *Nova Versão Internacional* (NVI), da Biblica, Inc., salvo a seguinte indicação: BJ (*Bíblia de Jerusalém*, da Editora Paulus). As transcrições, porém, nem sempre são literais, a fim de se preservar o texto original.

CIP-Brasil. Catalogação na publicação
Sindicato Nacional dos Editores de Livros, RJ

P165

Pais apostólicos / Clemente ... [et. al]; tradução Almiro Pisetta. - 1. ed. - São Paulo: Mundo Cristão, 2017.
272 p. ; 21 cm.

Tradução de: The apostolic fathers
ISBN 978-85-433-0274-4

1. Teologia. I.Vida cristã. II. Pisetta, Almiro. III. Título.

17-45014 CDD: 231
CDU: 27-14

Categoria: Literatura

Publicado no Brasil com todos os direitos reservados por:
Editora Mundo Cristão
Rua Antônio Carlos Tacconi, 79, São Paulo, SP, Brasil, CEP 04810-020
Telefone: (11) 2127-4147
www.mundocristao.com.br

1ª edição: novembro de 2017
1ª reimpressão: 2018

Sumário

Prefácio

Este volume reúne uma das mais importantes coleções de documentos cristãos antigos, os chamados *Pais Apostólicos*. Cobrindo um período que vai do final do século 1 até meados do século 2, as obras constituem um testemunho extremamente valioso sobre o pensamento e a vida da Igreja numa época remota da história do cristianismo, quando este ainda dava seus primeiros passos na sociedade greco-romana.

Esses textos podem ser definidos como o primeiro conjunto de literatura cristã posterior ao Novo Testamento. A designação pela qual são conhecidos, *Pais Apostólicos*, foi utilizada pela primeira vez pelo estudioso francês Jean Cotelier, em 1672, e reflete o fato de que tais documentos foram produzidos numa época muito próxima da era apostólica. A outra palavra do título os coloca no contexto dos "Pais da Igreja", os pensadores e escritores cristãos dos primeiros séculos. Na verdade, os *Pais Apostólicos* constituem o início do período patrístico, a era dos Pais da Igreja.

Apesar de suas muitas diferenças, esses escritos apresentam algumas características comuns. Em primeiro lugar, destacam-se por sua simplicidade intelectual e doutrinária. Não encontramos neles as reflexões teológicas profundas — e muito menos as elaborações filosóficas — que irão caracterizar muitos escritos cristãos posteriores. Antes, são declarações de uma fé e piedade sinceras, revelando acima de tudo um interesse pastoral e prático. Suas principais preocupações são a paz, a unidade e a pureza da Igreja.

Os *Pais Apostólicos* demonstram também grande reverência pelo Antigo Testamento, num período em que a coleção dos escritos neotestamentários ainda estava sendo reunida. O Antigo

Testamento é objeto de uma interpretação tipológica e alegórica, no sentido de torná-lo ainda mais relevante para uma audiência cristã. Ao mesmo tempo, os autores revelam clara familiaridade com as formas literárias do Novo Testamento e com os ensinos dos evangelhos e das epístolas canônicas.

Esses antigos documentos espelham ainda várias situações conhecidas no que diz respeito à Igreja pós-apostólica. Há uma preocupação com a liderança eclesiástica, numa época em que a Igreja começa a experimentar forte processo de institucionalização. Avulta em alguns textos, principalmente nas cartas de Inácio, o interesse pela figura do bispo. Além disso, nota-se uma forte ênfase na ortodoxia, no momento em que se multiplicam interpretações alternativas da fé cristã. A realidade crescente das perseguições se reflete na exaltação do martírio, também presente em vários desses documentos.

Por último, a tendência para o declínio dos padrões éticos na vida de muitos cristãos e o perigo sempre presente da apostasia fazem com que muitos desses escritos, em especial *O Pastor de Hermas*, adotem uma postura rigorosa com respeito à moralidade e à disciplina. Em contraste com a ênfase paulina na graça e na fé, a salvação passa a ser entendida em termos de obediência a uma nova lei. Ela não mais é vista como uma dádiva graciosa de Deus, mas como fruto do esforço e da obediência dos cristãos, refletindo um entendimento legalista ou moralista da vida cristã.

O presente volume contém treze documentos: duas cartas atribuídas a Clemente de Roma, sete cartas de Inácio de Antioquia, uma carta de Policarpo aos filipenses, uma narrativa do martírio de Policarpo, o manual eclesiástico conhecido como *Didaquê* e *O Pastor de Hermas*. Outras coletâneas também incluem entre os *Pais Apostólicos* a *Epístola de Barnabé*, a *Epístola a Diogneto* e fragmentos atribuídos ao bispo Papias de Hierápolis. Apresentamos a seguir alguns dados relevantes sobre cada um dos documentos.

A *Primeira carta de Clemente* é o mais antigo desse conjunto de documentos, tendo sido escrita por volta do ano 96, ou seja, no final do reinado do imperador Domiciano. Trata-se de uma longa epístola da igreja de Roma aos cristãos de Corinto, exortando-os a restaurar os presbíteros da igreja, que haviam sido depostos de seu ofício. Segundo a tradição, seu autor foi Clemente, um dos antigos bispos de Roma, que não deve ser confundido com seu homônimo posterior Clemente de Alexandria. Um quarto da epístola contém citações do Antigo Testamento, usado como fonte de muitos modelos de ordem e virtude.

O documento é importante pelo quadro que apresenta do antigo cristianismo romano, no qual predominavam interesses éticos e uma forte ênfase na lei e na ordem. O texto pressupõe uma igreja governada por bispos ou presbíteros, e diáconos, que receberam seu ofício em sucessão regular a partir dos apóstolos. Percebe-se claramente um entendimento sacrificial da ceia do Senhor, e no capítulo 25 há uma curiosa alusão ao mito pagão da fênix. A epístola foi tão apreciada na Igreja antiga que, por algum tempo, os cristãos do Egito e da Síria quiseram incluí-la no cânon do Novo Testamento.

A *Segunda carta de Clemente* foi assim designada de maneira incorreta, pois não é uma carta nem pode ser atribuída ao bispo romano já mencionado. Trata-se do mais antigo sermão cristão conhecido (cf. 19.1), tendo sido escrito por um presbítero anônimo antes da metade do século 2, possivelmente em Alexandria, no Egito. Tem em vista exortar os ouvintes a uma vida de pureza moral e firmeza nas perseguições, enfatizando a necessidade de arrependimento e boas obras. A homilia combate ideias gnósticas, coloca os escritos apostólicos em pé de igualdade com o Antigo Testamento (a Septuaginta) e apresenta o curioso conceito da Igreja como a continuidade da encarnação. Esse documento também foi tido em alta estima na Igreja antiga.

As cartas de Inácio de Antioquia foram escritas no início do século 2, durante o reinado de Trajano, quando o idoso bispo foi conduzido a Roma por um destacamento de soldados a fim de ser executado. No caminho, ele passou por Filadélfia e depois por Esmirna, onde foi saudado pelo bispo Policarpo e por representantes das igrejas de Éfeso, Magnésia e Trales. De Esmirna, escreveu cartas às igrejas que enviaram essas delegações e a Roma. Rumando para o norte, fez nova parada em Trôade, de onde escreveu às igrejas de Filadélfia e Esmirna, e ao colega Policarpo.

Essas cartas simples, pessoais e fervorosas são dominadas por várias preocupações. Elas defendem a unidade da Igreja, acentuando a obediência ao bispo que governa cada comunidade local. Atacam movimentos heréticos, geradores de cismas, em especial uma heresia docética que negava a encarnação do Verbo. Por fim, valorizam grandemente o martírio cristão. Inácio se evidencia por sua paixão, intensidade e profunda devoção a Cristo. Na epístola aos esmirniotas, a expressão "Igreja Católica" surge pela primeira vez na literatura cristã.

Dois escritos dentre os *Pais Apostólicos* estão relacionados com o bispo Policarpo de Esmirna, colega mais jovem de Inácio, nascido por volta do ano 70. Pouco após o encontro com o idoso bispo, ele escreveu uma carta aos filipenses em resposta a diversos pedidos dessa igreja. Entre tais solicitações estava uma coleção das cartas de Inácio, o envio de uma delegação para dar assistência à igreja de Antioquia e a situação do presbítero Valente e sua esposa, que haviam sido disciplinados por desonestidade em questões financeiras. O principal interesse dessa singela carta está no amplo uso que faz dos escritos do Novo Testamento, principalmente os evangelhos sinóticos, Atos, as epístolas paulinas e 1Pedro. Além disso, utiliza material da *Primeira carta de Clemente* e faz alusões às cartas de Inácio.

O outro documento relacionado com Policarpo é a narrativa de seu martírio em uma carta da igreja de Esmirna à igreja de Filomélio, na Frígia. O documento relata a prisão, julgamento e execução desse bispo, morto na fogueira aos 86 anos, provavelmente em 155 ou 156, durante o reinado do imperador Antonino Pio. Trata-se do mais antigo relato de um martírio cristão fora do Novo Testamento e também o mais antigo testemunho sobre a veneração dos mártires. A narrativa se destaca por sua simplicidade e por sua tocante descrição da fidelidade e coragem de Policarpo. Sua oração no capítulo 14 representa o tipo de oração eucarística de consagração que era usado em meados do século 2 em Esmirna.

A *Didaquê* ou "Ensino", às vezes denominada *A doutrina dos doze apóstolos*, é uma compilação, isto é, um documento composto de materiais de diferentes origens. Os seis primeiros capítulos contêm um conjunto de instruções morais conhecido como "Os dois caminhos" (da vida e da morte). Esse documento se encontra em uma versão diferente no final da *Epístola de Barnabé*. O compilador teria incluído no texto judaico original uma boa quantidade de conteúdo cristão. A segunda parte (caps. 7—15) é um manual eclesiástico, o mais antigo que se conhece, estabelecendo regras simples para a conduta de uma congregação rural. Trata de questões litúrgicas sobre o batismo e a ceia do Senhor, do jejum, bem como de profetas itinerantes e do ministério local de presbíteros e diáconos. O último capítulo (16) considera a necessidade de preparação para o final dos tempos.

Segundo alguns estudiosos, o documento em sua forma atual surgiu na primeira metade do século 2, em Alexandria, no Egito. O compilador teria editado dois documentos que tinha em mãos: o catecismo moral conhecido como "Os dois caminhos" e uma ordem eclesiástica do final do século 1, provavelmente originária da Síria. Esse manual inclui as mais antigas orações eucarísticas conhecidas e demonstra a transição de uma liderança eclesiástica carismática para um modelo institucional e hierárquico. O texto esteve perdido por muitos séculos e foi descoberto em 1873, em Constantinopla, por Philotheos Bryennios, metropolitano de Nicomédia, que o encontrou em um manuscrito datado de 1056 contendo também as epístolas de Clemente e Barnabé.

O documento mais longo dos *Pais Apostólicos*, abrangendo metade deste livro, é *O Pastor*, escrito por Hermas, um ex-escravo, possivelmente judeu, que foi emancipado em Roma. O *Cânon Muratoriano* diz que ele era irmão de Pio, um bispo romano de meados do segundo século. A obra é composta de cinco Visões, doze Mandamentos e dez Comparações. Nas Visões, Hermas recebe revelações de uma mulher, que representa a Igreja, e do "anjo do arrependimento", disfarçado como um pastor de ovelhas, cujo surgimento na quinta visão introduz as demais seções. Os Mandamentos e parte das Comparações se compõem principalmente de instrução ética, com forte ênfase na pureza e no arrependimento.

O texto é de difícil interpretação em virtude de sua linguagem apocalíptica e alegórica. O autor revela uma piedade singela e limitados recursos intelectuais. Ele admite o arrependimento por pecados posteriores ao batismo, mas, devido à aproximação do fim, o restringe aos pecados cometidos até o presente. Percebe-se no documento a existência de um sistema penitencial rudimentar. Segundo D. F. Wright, a obra é valiosa por lançar luz sobre as crenças do cristianismo judaico e de uma congregação cristã na sociedade romana helenística. *O Pastor de Hermas* foi tão apreciado nos primeiros séculos que alguns líderes defenderam sua inclusão entre os livros do Novo Testamento.

Concluindo, os *Pais Apostólicos* fornecem informações altamente relevantes sobre um importante período de transição na vida do cristianismo antigo, quando a Igreja ainda está relativamente próxima da geração dos apóstolos, mas começa a tomar novos rumos e a assumir novas características e ênfases. Ao mesmo tempo que se expande de maneira crescente no mundo grego-romano, o movimento cristão enfrenta difíceis desafios representados pela repressão estatal e pelo surgimento de heresias e cismas. Em resposta a essa nova e complexa situação, desenvolve-se o episcopado monárquico ou monoepiscopado, cristaliza-se o cânon do Novo Testamento e surgem as primeiras declarações credais — a "regra de fé".

ALDERI SOUZA DE MATOS, TH.D.

As cartas de Clemente

A carta da igreja de Roma à igreja de Corinto, comumente denominada Primeira carta de Clemente

O texto

A Igreja de Deus, que vive no exílio em Roma, para a Igreja de Deus, exilada em Corinto, para vocês que são chamados e santificados pela vontade de Deus por meio de nosso Senhor Jesus Cristo: Que graça e paz em abundância, da parte do Deus todo-poderoso, estejam com vocês por meio de Jesus Cristo.

1 Amados, nós admitimos que, devido a súbitos e repetidos infortúnios e acidentes que sofremos, demoramos um pouco para voltar nossa atenção às desavenças entre vocês. Referimo-nos ao abominável e ímpio cisma que alguns sujeitos impetuosos e obstinados insuflaram até ele atingir tal grau de insanidade que a boa fama de vocês, noutros tempos notória e cara a todos nós, caiu na mais grave degradação. [2] Alguém de fato conviveu com vocês sem atestar a excelência e firmeza da fé que vocês têm? Sem admirar sua sensata e ponderada piedade cristã? Sem divulgar seu espírito de ilimitada hospitalidade? Sem louvar seu perfeito e confiável conhecimento? [3] Pois vocês sempre agiram imparcialmente e seguiram as leis de Deus. Vocês obedeceram a seus governantes e trataram seus anciões com o devido respeito. Vocês disciplinaram a mente de seus jovens na moderação e dignidade. Vocês ensinaram suas mulheres a fazer tudo com uma consciência inocente e pura, e a dar a seus maridos o devido carinho. Vocês também as ensinaram a seguir as normas da obediência e a administrar suas casas com dignidade e total discrição.

2 Vocês todos eram humildes e não tinham nenhuma pretensão, mais obedecendo que dando ordens, sentindo mais prazer em doar do que em receber. Satisfeitos com as provisões de Cristo e atentos a elas, vocês cuidadosamente guardavam suas palavras no coração e não perdiam de vista seus sofrimentos. [2] Consequentemente, vocês todos receberam uma profunda e preciosa paz e um insaciável desejo de praticar o bem, enquanto o Espírito Santo era copiosamente derramado sobre todos vocês. [3] Vocês estavam repletos de santos conselhos e, com zelo pelo bem e devota confiança, estendiam as mãos ao Deus todo-poderoso, suplicando-lhe que tivesse compaixão caso vocês involuntariamente cometessem algum pecado. [4] Dia e noite vocês labutaram em benefício de toda a irmandade, a fim de que, por meio de sua piedade e compaixão, a totalidade dos eleitos de Deus pudesse ser salva. [5] Vocês eram sinceros e leais e não guardavam nenhum ressentimento. [6] Toda insubordinação e cisma eram para vocês um horror. Choravam pelas faltas de seus vizinhos, enquanto reconheciam seus defeitos como se fossem de vocês mesmos. [7] Nunca lamentavam todo o bem que praticavam, estando "sempre prontos a fazer tudo o que é bom" (Tt 3.1). Dotados de caráter excelente e devoto, tudo fizeram temendo a Deus. Os mandamentos e decretos do Senhor estavam gravados nas tábuas de seu coração.

3 Vocês conseguiram grande popularidade e um número crescente de adesões, de modo que se cumpriu a Escritura: "O bem-amado comeu e bebeu, tornou-se pesado e farto de comida, e deu pontapés" (Dt 32.15). [2] Por causa disso, surgiram a rivalidade e a inveja, os conflitos e as insubordinações, a perseguição e a anarquia, a guerra e o cativeiro. [3] E assim "o desprezível" se levantou "contra o nobre", o que não gozava de nenhuma fama contra o notável, o néscio contra o sábio, "o jovem contra o idoso" (Is 3.5). [4] Por essa razão a justiça e a paz estão distantes de vocês, pois cada um abandonou o temor de Deus e ficou cego em sua fé, e deixou de seguir as regras de seus preceitos ou de se comportar de um modo digno de Cristo.

Cada um prefere seguir os apetites de seu maldoso coração, revivendo a perversa e ímpia rivalidade pela qual, de fato, a morte veio ao mundo.

4 Pois assim diz a Escritura: "Passado algum tempo, Caim trouxe do fruto da terra uma oferta ao Senhor. Abel, por sua vez, trouxe as partes gordas das primeiras crias do seu rebanho. [2] O Senhor aceitou com agrado Abel e sua oferta, mas não aceitou Caim e sua oferta. [3] Por isso Caim se enfureceu e o seu rosto se transtornou. [4] O Senhor disse a Caim: 'Por que você está furioso? Por que se transtornou o seu rosto? Se você fez uma oferta correta, mas não a dividiu corretamente, acaso você não pecou? [5] Fique calado. Seu irmão voltará para você e você mandará nele. [6] Disse, porém, Caim a seu irmão Abel: 'Vamos para o campo'. Quando estavam lá, Caim atacou seu irmão Abel e o matou" (Gn 4.3-8).

[7] Percebam, irmãos, que a rivalidade e a inveja são responsáveis pelo fratricídio. [8] Devido à rivalidade nosso antepassado Jacó fugiu da presença de seu irmão Esaú. [9] Foi a rivalidade que fez José ser sanguinariamente perseguido e reduzido à escravidão. [10] A rivalidade obrigou Moisés a fugir da presença do faraó, o rei do Egito, após ter ouvido seu colega e membro de clã dizer: "Quem o nomeou líder e juiz entre nós? Quer matar-me como matou o egípcio?" (Êx 2.14). [11] Por causa da rivalidade, Arão e Miriã foram expulsos do acampamento. [12] A rivalidade lançou Datã e Abirão ainda vivos no inferno porque se revoltaram contra Moisés, o servo de Deus. [13] Por causa da rivalidade, Davi não apenas foi vítima da inveja de estrangeiros, mas foi até mesmo perseguido por Saul, o rei de Israel.

5 Mas, deixando os exemplos da antiguidade, passemos para os heróis mais próximos de nossa época. Tomemos os nobres exemplos de nossa geração. [2] Por causa da rivalidade e da inveja, os maiores e mais justos pilares [da Igreja] foram perseguidos e combatidos até a morte. [3] Lembremo-nos dos nobres apóstolos. [4] Pedro, que por causa do perverso ciúme, não apenas uma ou duas vezes, mas com frequência suportou sofrimentos e assim, dando seu testemunho, partiu para o glorioso lugar que mereceu. [5] Por motivos de rivalidade e discórdia, Paulo mostrou como ganhar o prêmio por meio da paciente resistência. [6] Sete vezes ele foi acorrentado, exilado, apedrejado, tornou-se um arauto [do evangelho] no Oriente e no Ocidente e conquistou a sublime fama que sua fé mereceu. [7] Ao mundo inteiro ele ensinou a justiça e, chegando até os confins do Ocidente, deu seu testemunho perante governantes. E assim, libertado deste mundo, ele foi levado para o lugar santo e tornou-se o maior exemplo da paciente resistência.

6 A esses homens que levaram uma vida tão santa juntou-se a grande multidão dos eleitos que, por causa da rivalidade, foram vítimas de muitos ultrajes e torturas e entre nós se tornaram eminentes exemplos. [2] Por causa da rivalidade, mulheres foram perseguidas desempenhando os papéis de Danaides e Dirces. Vítimas de horrendos e blasfemos ultrajes, elas percorreram com firmeza o caminho da fé até o fim e, apesar de sua fragilidade física, conquistaram uma notável recompensa. [3] Foi a rivalidade que levou mulheres a se separarem de seus maridos e anularem a declaração de nosso pai Adão: "Esta, sim, é osso dos meus ossos e carne da minha carne" (Gn 2.23). [4] A rivalidade e a discórdia destruíram grandes cidades e extirparam poderosas nações.

7 Estamos escrevendo neste tom, amados, não apenas para admoestá-los, mas também para lembrar essas coisas a nós mesmos. Pois estamos na mesma arena, envolvidos na mesma luta. [2] Por isso, devemos abandonar toda preocupação vazia e fútil e voltar-nos para a gloriosa e santa regra de nossa tradição. [3] Vamos observar o que é bom, o que é agradável e aceitável àquele que nos criou. [4] Fixemos os olhos no sangue de Cristo e tomemos consciência de como ele é precioso para seu Pai, uma vez que foi derramado para nossa salvação e trouxe a graça do arrependimento para o mundo inteiro. [5] Vamos repassar todas as gerações e observar que, de uma geração para outra, o Mestre tem propiciado uma oportunidade de arrependimento aos que estão dispostos a recorrer a ele. [6]Noé pregou o arrependimento, e os que lhe deram ouvidos foram salvos. [7]Jonas pregou a destruição aos ninivitas; e quando eles se haviam arrependido de seus pecados, conseguiram as boas graças de Deus mediante suas orações e obtiveram a salvação, apesar do fato de não serem povo de Deus.

8 Os ministros da graça de Deus falaram do arrependimento por meio do Espírito Santo, [2]e o próprio Mestre do universo referiu-se a ele com um juramento: "Juro pela minha vida, palavra do Soberano, o Senhor, que não tenho prazer na morte dos ímpios, antes tenho prazer em que eles se desviem dos seus caminhos e vivam" (Ez 33.11). [3]Ele acrescentou também esta generosa consideração: "Arrependa-se, ó casa de Israel, de sua iniquidade. Diga aos filhos do meu povo: 'Embora seus pecados formem uma montanha que suba da terra até o céu, e sejam mais rubros que o escarlate e mais pretos que as vestimentas de luto, caso vocês recorram a mim de todo o coração dizendo 'Pai!', eu os ouvirei como se fossem um povo santo'" (cit. n.i.). [4]E em outra parte isto é o que ele diz: "Lavem-se! Limpem-se! Removam suas más obras para longe da minha vista! Parem de fazer o mal, aprendam a fazer o bem! Busquem a justiça, acabem com a opressão. Lutem pelos direitos do órfão, defendam a causa da viúva. Venham, vamos refletir juntos, diz o Senhor. Embora seus pecados sejam vermelhos como escarlate, eles se tornarão brancos como a neve; embora sejam rubros como a púrpura, como a lã se tornarão. Se vocês estiverem dispostos a obedecer, comerão os melhores frutos desta terra; mas, se resistirem e se rebelarem, serão devorados pela espada. Pois o Senhor é quem fala" (Is 1.16-20). [5]Uma vez que, ali, ele queria que todos os que ele amava tivessem uma oportunidade de se arrepender, confirmou isso expressando sua todo-poderosa vontade.

9 Assim, portanto, vamos acatar sua magnífica e gloriosa intenção, prostrando-nos diante dele como quem implora sua misericórdia e bondade. Vamos recorrer a sua compaixão e abandonar aventuras e lutas, e a rivalidade que conduz à morte. [2] Vamos fixar nossos olhos naqueles que serviram a sua glória magnífica à perfeição. [3] Tomemos Enoque, por exemplo, o qual, por ter-se mostrado justo mediante sua obediência, foi arrebatado aos céus e nunca morreu. [4] Noé mostrou-se fiel em seu ministério e pregou ao mundo um novo nascimento. Portanto, por intermédio dele, o Mestre salvou aquelas criaturas vivas que pacificamente entraram na arca.

10 Abraão, que foi chamado "o amigo" (2Cr 20.7; Tg 2.23), mostrou-se fiel obedecendo às palavras de Deus. [2] Foi a obediência que o levou a deixar sua terra, seus parentes e a casa de seu pai, de modo que, abandonando uma terra miserável, uns parentes mesquinhos e uma casa insignificante, ele pudesse herdar as promessas de Deus. [3] Pois Deus lhe disse: "Saia da sua terra, do meio dos seus parentes e da casa de seu pai, e vá para a terra que eu lhe mostrarei. Farei de você um grande povo, e o abençoarei. Tornarei famoso o seu nome, e você será uma bênção. Abençoarei os que o abençoarem e amaldiçoarei os que o amaldiçoarem; e por meio de você todos os povos da terra serão abençoados" (Gn 12.1-3). [4] E novamente, quando Abraão se separou de Ló, Deus lhe disse: "De onde você está, olhe para o norte, para o sul, para o leste e para o oeste: toda a terra que você está vendo darei a você e à sua descendência para sempre. [5] Tornarei a sua descendência tão numerosa como o pó da terra. Se for possível contar o pó da terra, também se poderá contar a sua descendência" (Gn 13.14-16). [6] Deus conduziu Abraão para fora da tenda e lhe disse: "Olhe para o céu e conte as estrelas, se é que pode contá-las". E prosseguiu: "Assim será a sua descendência!". E Abraão "creu no Senhor, e isso lhe foi creditado como justiça" (Gn 15.5-6). [7] Devido a sua fé e hospitalidade, um filho lhe foi concedido em sua velhice, e Abraão obedientemente o ofereceu como sacrifício a Deus sobre uma das colinas indicadas por ele.

11 Devido a sua hospitalidade e devoção religiosa, Ló foi salvo de Sodoma, quando toda a região foi condenada a fogo e enxofre. Assim, o Mestre deixou claro que ele não abandona os que nele depositam sua esperança, mas entrega à punição e ao tormento os que dele se afastam. [2] Deste último caso, sua mulher com certeza tornou-se um exemplo. Depois de deixar a cidade com ele, ela mudou de ideia e apartou-se dele, e o resultado foi que ela se transformou numa coluna de sal que até hoje existe. Dessa forma, ficou evidente que os inconstantes e os que questionam o poder de Deus são condenados e tornam-se uma advertência para todas as gerações.

12 Devido a sua fé e hospitalidade, Raabe, a prostituta, foi salva. [2] Pois quando os espiões foram enviados a Jericó por Josué, filho de Num, o rei daquela terra soube que eles haviam chegado para espionar sua nação. Em razão disso, enviou alguns homens para capturá-los, com o propósito de prendê-los e matá-los. [3] A hospitaleira Raabe, porém, os acolheu e os ocultou sob talos de linho num aposento no andar superior. [4] Quando os homens do rei souberam disso, disseram-lhe: "Mande embora os homens que entraram em sua casa, pois vieram espionar a terra toda". Mas ela imediatamente respondeu: "É verdade que os homens vieram a mim. Ao anoitecer, na hora de fechar a porta da cidade, eles partiram. Não sei para onde foram. Corram atrás deles. Talvez os alcancem", e ela apontou para a direção contrária. [5] E ela disse aos homens: "Sei que o Senhor lhes deu esta terra. Vocês nos causaram um medo terrível, e todos os habitantes desta terra estão apavorados por causa de vocês. Jurem-me pelo Senhor que, assim como eu fui bondosa com vocês, vocês também serão bondosos com a minha família". [6] E eles lhe disseram: "Estaremos livres do juramento que você nos levou a fazer se, quando entrarmos na terra, você não tiver trazido para a sua casa o seu pai e a sua mãe, os seus irmãos e toda a sua família. Qualquer pessoa que sair da casa será responsável por sua própria morte; nós seremos inocentes" (Js 2.3-19). [7] E além disso eles lhe deram um sinal: ela deveria pendurar um cordão escarlate em sua casa. Com isso, deixaram claro que era pelo sangue do Senhor que a redenção deveria vir para todos aqueles que creem em Deus e nele esperam. [8] Percebam, amados, que não apenas a fé, mas também a profecia está exemplificada nessa mulher.

13 Então, irmãos, sejamos humildes e livremo-nos de qualquer pretensão e arrogância, tolice e raiva. Vamos agir como nos ensina a Escritura, pois o Espírito Santo diz: "Não se glorie o sábio em sua sabedoria nem o forte em sua força nem o rico em sua riqueza, mas quem se gloriar glorie-se no Senhor, e assim o procurará e agirá com justiça e retidão" (Jr 9.23-24). Lembremo-nos especialmente das palavras do Senhor Jesus, que ele proferiu para ensinar a prudência e a paciência. [2] Pois isto foi o que ele disse: "Mostrem misericórdia, para poder obter misericórdia. Perdoem, para poderem ser perdoados. O que vocês fizerem aos outros, os outros farão a vocês. Assim como dão, vocês vão receber. Da forma que julgarem, vocês serão julgados. Na medida em que mostrarem bondade, vocês também receberão bondade. Na mesma medida em que derem, vocês receberão" (Mt 5.7; 6.14-15; 7.1-2,12; Lc 6.31-38). [3] Vamos nos ater firmemente a esse mandamento e a essas injunções de modo que, em nossa conduta, possamos obedecer a suas santas palavras e ser humildes. [4] Pois a Sagrada Escritura diz: "A este eu estimo: ao humilde e contrito de espírito, que treme diante da minha palavra" (Is 66.2).

14 É justo, portanto, e piedoso, irmãos, que devamos obedecer a Deus em vez de seguir aqueles sujeitos arrogantes e desordeiros que tomam a iniciativa de provocar a detestável rivalidade. [2] Pois não estaremos nos expondo a nenhum mal comum, mas sim a um grande perigo, se temerariamente nos entregarmos aos planos de homens que partem para a briga e a sedição a fim de nos afastar do que é certo. [3] Sejamos afáveis uns com os outros de acordo com a compaixão e brandura daquele que nos criou. [4] Pois está escrito: "Os justos habitarão na terra, e os íntegros nela permanecerão; mas os ímpios serão eliminados da terra, e dela os infiéis serão arrancados" (Pv 2.21-22). [5] E também está escrito: "Vi um homem ímpio e cruel florescendo como frondosa árvore nativa, mas logo desapareceu e não mais existia; embora eu o procurasse, não pôde ser encontrado. Considere o íntegro, observe o justo; há futuro para o homem de paz" (Sl 37.35-37).

15 Vamos, então, nos unir àqueles que são religiosamente dedicados à paz, e não aos que a desejam de modo hipócrita. [2] Pois em alguma parte se diz: "Este povo me honra com os lábios, mas o seu coração está longe de mim" (Is 29.13). [3] E ainda: "Com a boca abençoam, mas no íntimo amaldiçoam"(Sl 62.4). [4] E também se diz: "Com a o boca o adulavam, com a língua o enganavam; o coração deles não era sincero; não foram fiéis à sua aliança. [5] Sejam emudecidos os seus lábios mentirosos, pois com arrogância e desprezo humilham os justos"(Sl 78.36-37; 31.18). E ainda: "Que o SENHOR corte todos os lábios bajuladores e a língua arrogante dos que dizem: 'Venceremos graças à nossa língua; somos donos dos nossos lábios! Quem é senhor sobre nós?'. [6] 'Por causa da opressão do necessitado e do gemido do pobre, agora me levantarei', diz o SENHOR. 'Eu lhes darei a segurança que tanto anseiam'" (Sl 12.3-5).

16 É aos humildes que Cristo pertence, não àqueles que se posicionam acima do rebanho dele. [2] O cetro da majestade de Deus, o Senhor Jesus Cristo, não veio com a pompa do orgulho ou da arrogância, embora pudesse tê-lo feito. Mas veio na humildade exatamente como o Espírito Santo disse sobre ele. [3] Pois nas Escrituras se lê: "Quem creu em nossa mensagem? E a quem foi revelado o braço do SENHOR? Ele cresceu diante dele como um broto tenro, e como uma raiz saída de uma terra seca. Ele não tinha qualquer beleza ou majestade que nos atraísse, nada havia em sua aparência para que o desejássemos. Foi desprezado e rejeitado pelos homens, um homem de dores e experimentado no sofrimento. Como alguém de quem os homens escondem o rosto, foi desprezado, e nós não o tínhamos em estima. [4] Certamente ele tomou sobre si as nossas enfermidades e sobre si levou as nossas doenças; contudo, nós o consideramos castigado por Deus, por Deus atingido e afligido.

[5] Mas ele foi traspassado por causa das nossas transgressões, foi esmagado por causa de nossas iniquidades; o castigo que nos trouxe paz estava sobre ele, e pelas suas feridas fomos curados. [6] Todos nós, tal qual ovelhas, nos desviamos; cada um de nós se voltou para o seu próprio caminho; [7] e o Senhor fez cair sobre ele a iniquidade de todos nós. Ele foi oprimido e afligido; e, contudo, não abriu a sua boca; como um cordeiro foi levado ao matadouro, e como uma ovelha que diante de seus tosquiadores fica calada, ele não abriu a sua boca. Com julgamento opressivo ele foi levado. [8] E quem pode falar de seus descendentes? Pois ele foi eliminado da terra dos viventes; [9] por causa da transgressão do meu povo ele foi golpeado. [10] Foi-lhe dado um túmulo com os ímpios, e com os ricos em sua morte, embora não tivesse cometido nenhuma violência nem houvesse nenhuma mentira em sua boca. E a vontade do Senhor é purificá-lo dos vergões causados pelo açoite. [11] Se vocês fizerem uma oferenda pelos pecados, sua alma terá uma longa posteridade. [12] Depois do sofrimento de sua alma, ele verá a luz e ficará satisfeito; pelo seu conhecimento meu servo justo justificará a muitos, e levará a iniquidade deles. [13] Por isso eu lhe darei uma porção entre os grandes, e ele dividirá os despojos com os fortes, porquanto ele derramou sua vida até a morte, e foi contado entre os transgressores. [14] Pois ele levou o pecado de muitos, e pelos transgressores intercedeu" (Is 53).

[15] E ele mesmo também diz: "Mas eu sou um verme, e não homem, motivo de zombaria e objeto de desprezo do povo. [16] Caçoam de mim todos os que me veem; balançando a cabeça, lançam insultos contra mim, dizendo: 'Recorra ao Senhor! Que o Senhor o liberte! Que ele o livre, já que lhe quer bem!'" (Sl 22.6-8). [17] Percebam, amados, o tipo de exemplo que recebemos. E assim, se o Senhor se humilhou desse modo, que devemos fazer nós que, por meio dele, fomos submetidos ao regime de sua graça?

17 Sejamos imitadores daqueles que vagavam pelo mundo "vestidos de pele de ovelhas e de cabras" (Hb 11.37), e pregavam a vinda de Cristo. Estamos nos referindo aos profetas Elias e Eliseu — sim, também a Ezequiel — e aos heróis da antiguidade. [2] Abraão foi muito famoso e era chamado de "o amigo de Deus". Quando contemplou o esplendor divino, ele declarou em sua humildade: "Não passo de pó e cinza" (Gn 18.27). [3] Isto é o que está escrito sobre Jó: "Era homem íntegro e justo; temia a Deus e evitava fazer o mal" (Jó 1.1). [4] Mas ele foi o acusador de si mesmo quando disse: "Não há ninguém isento de manchas, mesmo que sua vida se reduza a um único dia" (Jó 14.4-5). [5] Moisés foi declarado "fiel em toda a minha casa" (Nm 12.7; Êx 3.11) e Deus se serviu dele para concretizar seu julgamento divino sobre o Egito com castigos e tormentos. No entanto, nem mesmo ele, apesar da grande glória que obteve, se orgulhou; mas, quando recebeu um oráculo provindo da sarça ardente, disse: "Quem sou eu para apresentar-me ao faraó e tirar os israelitas do Egito? Ó Senhor! Nunca tive facilidade para falar, nem no passado nem agora que falaste a teu servo. Não consigo falar bem!" (Êx 3.11; 4.10). [6] E novamente ele diz: "Não passo de vapor que sai da panela quente" (cit. n.i.).

18 E o que vamos dizer sobre o famoso rei Davi? Dele disse Deus: "Encontrei o meu servo Davi, filho de Jessé; ungi-o com o meu óleo sagrado" (Sl 89.20). [2] Mas ele também diz a Deus: "Tem misericórdia de mim, ó Deus, por teu amor; por tua grande compaixão apaga as minhas transgressões. [3] Lava-me de toda a minha culpa e purifica-me do meu pecado. Pois eu mesmo reconheço as minhas transgressões, e o meu pecado sempre me persegue. [4] Contra ti, só contra ti, pequei e fiz o que tu reprovas, de modo que justa é a tua sentença e tens razão em condenar-me. [5] Sei que sou pecador desde que nasci, sim, desde que me concebeu minha mãe. [6] Sei que desejas a verdade no íntimo; e no coração me ensinas a sabedoria. [7] Purifica-me com hissopo, e ficarei puro; lava-me, e mais branco do que a neve serei. [8] Faze-me ouvir de novo júbilo e alegria, e os ossos que esmagaste exultarão. [9] Esconde o rosto dos meus pecados e apaga todas as minhas iniquidades. [10] Cria em mim um coração puro, ó Deus, e renova dentro de mim um espírito estável. [11] Não me expulses da tua presença, nem tires de mim o teu Santo Espírito. [12] Devolve-me a alegria da tua salvação e sustenta-me com um espírito pronto a obedecer. [13] Então ensinarei os teus caminhos aos transgressores, para que os pecadores se voltem para ti. [14] Livra-me da culpa dos crimes de sangue, ó Deus, Deus da minha salvação! E a minha língua aclamará a tua justiça. [15] Ó Senhor, dá palavras aos meus lábios, e a minha boca anunciará o teu louvor. [16] Não te deleitas em sacrifícios nem te agradas em holocaustos, senão eu os traria. [17] Os sacrifícios que agradam a Deus são um espírito quebrantado; um coração quebrantado e contrito, ó Deus, não desprezarás" (Sl 51.1-17).

19 A humildade e a obediente submissão de tantos e tão famosos heróis promoveram não apenas o nosso aperfeiçoamento, mas também o de nossos pais antes de nós, e o de todos que receberam os oráculos de Deus em temor e sinceridade. [2] Portanto, uma vez que fomos beneficiados por muitos feitos grandiosos e gloriosos, vamos avançar rumo ao objetivo da paz, que nos foi dado desde o princípio. [3] Fixemos nosso olhar no Pai e Criador do universo, mantendo-nos fiéis a seus magníficos e excelentes dons de bondade e paz. Vamos tê-lo mentalmente presente e vamos contemplar com os olhos da alma seu paciente propósito. Consideremos como ele absolutamente não nutre nenhuma ira contra toda a sua criação.

20 Os céus se movimentam sob sua direção e pacificamente a ele obedecem. [2] Dia e noite percorrem sua rota que ele lhes determinou, sem nenhuma interferência mútua. [3] O sol, a lua e as constelações de estrelas deslizam harmoniosamente em suas rotas predeterminadas às suas ordens, e sem nunca sofrer nenhum desvio. [4] Por vontade dele e sem discórdia ou alteração nenhuma de seu decreto a terra torna-se frutífera nas épocas adequadas e produz alimento abundante para homens e animais e todos os seres que nela vivem. [5] As insondáveis, abissais profundezas e as indescritíveis regiões do mundo inferior estão sujeitas aos mesmos decretos. [6] A bacia do mar sem fim por disposição dele está construída para conter o acúmulo das águas, de modo que o mar não ultrapasse as barreiras que o cercam, mas se comporte exatamente como ele determina. [7] Pois ele disse: "Até aqui você pode vir, além deste ponto não; aqui faço parar suas ondas orgulhosas" (Jó 38.11). [8] O oceano que o homem não consegue cruzar, e os mundos além dele, são governados pelos mesmos decretos do Mestre. [9] As estações — primavera, verão, outono e inverno — se sucedem pacificamente. [10] Os ventos de seus diferentes pontos cumprem suas tarefas no tempo apropriado e sem dificuldade. Fontes perenes, criadas para o prazer e a saúde, nunca deixam de oferecer seus seios que dão vida ao homem. As menores criaturas convivem em harmonia e paz. [11] Todas essas coisas o grande Criador e Mestre do universo determinou que existissem em paz e harmonia. Assim ele derramou suas bênçãos sobre todas elas, mas de modo mais abundante sobre nós que nos refugiamos em sua compaixão por meio de nosso Senhor Jesus Cristo, [12] a quem seja atribuída glória e majestade para todo o sempre. Amém.

21 Tomem cuidado, amados, para que suas múltiplas bênçãos não se tornem nossa condenação, o que pode acontecer se não levarmos uma vida digna dele, se não vivermos em harmonia e se deixarmos de fazer o que é bom e agradável a ele. [2] Pois ele em alguma parte diz: "O espírito do homem é a lâmpada do SENHOR, e vasculha cada parte do seu ser" (Pv 20.27). [3] Tomemos consciência de como ele está perto de nós, e de que nenhum de nossos pensamentos, ou ideias, pode passar despercebido a seus olhos. [4] É justo, portanto, que não sejamos desertores que desobedecem a sua vontade. [5] Em vez de ofender a Deus, vamos ofender os homens tolos e estultos que se vangloriam e se orgulham de sua fala afetada. [6] Vamos reverenciar o Senhor Jesus Cristo cujo sangue foi derramado por nós. Vamos respeitar aqueles que nos governam. Vamos honrar os idosos. Vamos educar os jovens no temor de Deus. Vamos orientar nossas mulheres para o que é bom. [7] Que elas mostrem uma pureza de caráter que possamos admirar. Que mostrem um senso genuíno de modéstia. Que, pela discrição no falar, elas mostrem que sua língua é ponderada. Que elas não queiram destacar-se exibindo afetação, mas que, em santidade, amem indistintamente todos os que temem a Deus. [8] Que nossas crianças tenham uma educação cristã. Que aprendam o valor que Deus dá à humildade, o poder que o amor puro tem para ele, como é bom e excelente temê-lo e como isso significa salvação para todos os que o vivem em seu temor, com santidade e uma consciência pura. [9] Pois ele é o examinador de pensamentos e desejos. É seu sopro de vida que está em nós; e quando quiser ele pode retirá-lo.

22 Ora, a fé cristã confirma tudo isso. Pois é deste modo que Cristo se dirige a nós por meio de seu Espírito Santo: "Venham, meus filhos, ouçam-me; eu lhes ensinarei o temor do SENHOR. [2] Quem de vocês quer amar a vida e deseja ver dias felizes? [3] Guarde a sua língua do mal e os seus lábios da falsidade. [4] Afaste-se do mal e faça o bem; [5] busque a paz com perseverança. [6] Os olhos do SENHOR voltam-se para os justos e os seus ouvidos estão atentos ao seu grito de socorro; o rosto do SENHOR volta-se contra os que praticam o mal, para apagar da terra a memória deles; [7] os justos clamam, o SENHOR os ouve e os livra de todas as suas tribulações" (Sl 34.11-17). [8] "Muitas são as dores dos ímpios, mas a bondade do SENHOR protege quem nele confia" (Sl 32.10).

23 O todo-misericordioso e generoso Pai tem compaixão daqueles que o temem, e com bondade e amor ele dispensa seus favores àqueles que dele se aproximam com um coração sincero. [2] Por esse motivo, não podemos ser inconstantes, e nossa alma não deve alimentar ideias erradas acerca de seus excelentes e magníficos dons. [3] Que longe de nós esteja aquele versículo da Escritura que diz: "Infelizes são os inconstantes, aqueles que em seu íntimo duvidam e dizem: 'Ouvimos essas coisas até na época de nossos pais e, vejam, chegamos à velhice e nenhuma delas nos aconteceu'. [4] Tolos! Comparem-se a uma planta. Por exemplo, uma videira: primeiro ela perde as folhas, depois aparece um broto, depois uma folha, depois uma flor e depois uvas verdes e finalmente um cacho maduro" (cit. n.i.). Vocês notam que o fruto da planta atinge sua maturidade num breve espaço de tempo. [5] Assim, com certeza, rápido e repentino se realizará seu propósito, exatamente como a Escritura também atesta: "E então, de repente, o Senhor que vocês buscam virá para o seu templo; o mensageiro da aliança, aquele que vocês desejam, virá" (Ml 3.1).

24 Consideremos, amados, como o Mestre continuamente nos mostra que haverá uma ressurreição futura. Disso ele fez o Senhor Jesus Cristo o primeiro exemplo, ressuscitando-o dentre os mortos. [2] Observemos, amados, a ressurreição nas estações naturais. [3] O dia e a noite mostram a ressurreição. A noite passa e chega o dia. O dia vai embora e a noite volta. [4] Tomem as safras como exemplos. Como e de que maneira se faz a semeadura? [5] Sai o semeador e lança cada semente ao chão. No chão as sementes estão secas e desprotegidas, e elas se deterioram. Mas depois a maravilhosa providência do Mestre as ressuscita de sua deterioração, e de uma única semente resultam muitas outras e dão muitos frutos.

25 Observemos o fantástico símbolo que vem do Oriente próximo de nós, isto é, da Arábia. [2] Lá existe uma ave chamada fênix. É a única de sua espécie e vive quinhentos anos. Quando se aproxima o tempo de sua partida e morte, ela constrói um ninho funerário com incenso, mirra e outras especiarias; e quando chega a sua hora, ela entra no ninho e morre. [3] Sua carne se decompõe produzindo um verme, o qual se nutre das secreções da criatura morta e desenvolve asas. Quando está plenamente desenvolvido, ele apanha o ninho funerário contendo os ossos de seu predecessor e consegue carregá-los da Arábia até a cidade egípcia chamada Heliópolis. [4] E em plena luz do dia, para que todos possam ver, pousa no altar do sol e ali deposita os ossos; em seguida empreende a viagem de volta para casa. [5] Os sacerdotes conferem então as datas em seus registros e descobrem que o fato se deu depois de um lapso de quinhentos anos.

26 Devemos então imaginar que é algo grandioso e surpreendente se o Criador do universo ressuscita aqueles que lhe serviram na santidade e na certeza baseada numa boa fé, quando ele usa um mero pássaro para ilustrar a grandeza de sua promessa? [2] Pois ele em alguma parte diz: "E tu me ressuscitarás e eu te darei graças" (cit. n.i.); e: "Eu me deito e durmo, e torno a acordar, porque é o Senhor que me sustém" (Sl 3.5). [3] E Jó também diz: "E depois que o meu corpo estiver destruído e sem carne, verei a Deus" (Jó 19.26).

27 Com essa esperança, portanto, vamos nos apegar àquele que é fiel a suas promessas e justo em todos os seus julgamentos. [2] Aquele que nos manda evitar a mentira é absolutamente incapaz de mentir. Pois nada é impossível a Deus, exceto mentir. [3] Vamos então reacender nossa fé nele, tendo em mente que nada está fora de seu alcance. [4] Por meio de sua majestosa palavra ele constituiu o universo, e por meio de sua palavra ele pode fazê-lo chegar a seu fim. [5] "Pois quem pode dizer-te: 'Que fizeste?' Ou quem se oporia à tua sentença?" (Sb 12.12, BJ). Ele fará tudo o que quiser quando lhe aprouver. E nada do que ele decretou falhará. [6] Tudo está exposto a seus olhos e nada escapa a sua vontade. [7] Pois "os céus declaram a glória de Deus; o firmamento proclama a obra das suas mãos. Um dia fala disso a outro dia; uma noite o revela a outra noite. Sem discurso nem palavras, não se ouve a sua voz" (Sl 19.1-3).

28 Uma vez, portanto, que ele enxerga e ouve tudo, nós devemos temê-lo e livrar-nos de desejos maldosos que resultam em ações abjetas. Agindo assim, por sua misericórdia estaremos protegidos de futuros julgamentos. [2] Pois para onde pode qualquer um de nós fugir de sua poderosa mão? Que mundo existe que possa receber quem dele deserta? [3] Pois em alguma parte a Escritura diz: "Para onde poderia eu escapar do teu Espírito? Para onde poderia fugir da tua presença? Se eu subir aos céus, lá estás; se eu fizer a minha cama na sepultura, também lá estás" (Sl 139.7-8). [4] Para onde, então, pode alguém dirigir-se ou para onde poderá fugir daquele que a tudo envolve?

29 Devemos, portanto, nos aproximar dele com nossa alma santa, erguendo-lhe mãos puras e limpas, amando nosso bondoso e compassivo Pai, que fez de nós sua porção eleita. [2] Pois assim está escrito: "Quando o Altíssimo deu às nações a sua herança, quando dividiu toda a humanidade, estabeleceu fronteiras para os povos de acordo com o número de filhos de Israel. Pois o povo preferido do SENHOR é este povo, Jacó e a herança que lhe coube" (Dt 32.8-9). [3] E em outra parte se diz: "Vejam, o SENHOR tomou para si um povo dentre as nações, exatamente como um homem apanha os primeiros frutos recolhidos; e o Santo dos Santos provirá daquela nação" (Dt 4.34; 14.2; Ez 48.12).

30 Por sermos, portanto, uma porção santa, tudo devemos fazer de acordo com a santidade. Devemos evitar a calúnia, os abraços impuros e grosseiros, a embriaguez, a desordem violenta, a suja luxúria, o detestável adultério e a desagradável arrogância. [2] "Ele [Deus]", diz a Escritura, "zomba dos zombadores, mas concede graça aos humildes" (Pv 3.34). [3] Nós devemos nos apegar àqueles que receberam a graça de Deus. Devemos nos revestir de concórdia, sendo humildes, comedidos, mantendo-nos longe da tagarelice e da calúnia, e sendo justificados por nossas obras, não por nossas palavras. [4] Pois se diz: "Ficarão sem resposta todas essas palavras? Irá confirmar-se o que esse tagarela diz? [5] Bendito é aquele que sua mãe gerou para uma vida breve. Não se entregue à fala excessiva" (Jó 11.2-3). [6] Devemos deixar que Deus nos louve, e não nos louvarmos a nós mesmos. Pois Deus detesta quem se vangloria. [7] Que outros aplaudam nossas boas obras, como aconteceu com nossos justos antecessores. [8] A presunção, a audácia e o atrevimento são características daqueles que Deus amaldiçoou. Mas a delicadeza, a humildade e a modéstia são características daqueles que Deus abençoou.

31 Mantenhamo-nos, portanto, fiéis a sua bênção, prestando atenção àquilo que a ela conduz. [2] Vamos examinar a história do passado antigo. Por que nosso pai Abraão foi abençoado?

Não foi porque ele agiu com retidão e verdade, motivado pela fé? [3] Isaque, entendendo perfeitamente o que estava acontecendo, de bom grado deixou-se conduzir para o sacrifício. [4] Humildemente, Jacó deixou sua terra natal por causa de seu irmão. Foi para a casa de Labão e tornou-se seu escravo, e a Jacó foram dados os doze cetros das tribos de Israel.

32 E se alguém examinar candidamente cada exemplo, perceberá a magnificência dos dons que Deus dá. [2] Pois de Jacó provieram todos os sacerdotes e levitas que servem no altar de Deus. Dele provém o Senhor Jesus no que diz respeito à natureza humana. Dele provêm os reis, dirigentes e governantes de Judá. E a glória das outras tribos que dele provieram também não é desprezível. Pois Deus prometeu: "Assim [como as estrelas do céu] será a sua descendência" (Gn 15.5). [3] Desse modo, todos eles foram honrados e engrandecidos, não por si mesmos ou por seus feitos e pelas coisas certas que fizeram, mas pela vontade dele. [4] E nós, portanto, que pela vontade dele fomos chamados em Jesus Cristo, não somos justificados por nós mesmos ou pela sabedoria ou percepção ou devoção religiosa ou pelas boas obras que de boa mente praticamos, mas pela fé mediante a qual o Deus todo-poderoso justificou todos os homens desde o início. A ele seja dada a glória para todo o sempre. Amém.

33 Irmãos, que deveríamos então fazer? Será que devemos relaxar na prática do bem e abandonar o amor? Que o Senhor de modo algum jamais permita que isso aconteça! Pelo contrário, devemos ser enérgicos na prática de "tudo o que é bom", com seriedade e intensa boa vontade. [2] Pois o próprio Criador e Mestre do universo se rejubila em suas obras. [3] Assim, com seu irresistível poder ele constituiu os céus e com sua insondável sabedoria os organizou. Ele separou a terra da água cercando-a e fixando-a sobre o fundamento seguro de sua própria vontade. Por seu decreto, conferiu existência às criaturas vivas que vagam sobre ela; e, depois de criar o mar e as criaturas que nele habitam, ele com seu poder fixou seus limites. [4] Acima de tudo, com suas mãos santas e puras, ele formou o homem, a mais marcante e a maior de suas realizações, gravada com sua própria imagem. [5] Pois isso é que Deus disse: "Façamos o homem à nossa imagem, conforme a nossa semelhança. Criou Deus o homem à sua imagem, à imagem de Deus o criou, homem e mulher os criou" (Gn 1.26-27). [6] E assim, quando terminou tudo isso, ele tudo louvou e abençoou, dizendo: "Sejam férteis e multipliquem-se!" (Gn 1.28). [7] Devemos observar que todos os justos foram adornados com boas obras, e o próprio Senhor se adorna com boas obras e se rejubila. [8] Tendo, então, esse exemplo, nós deveríamos, sem vacilar, entregarmo-nos à vontade dele e concentrar todo o nosso esforço em agir corretamente.

34 O bom trabalhador aceita o pão que ganhou de cabeça erguida; o trabalhador preguiçoso e negligente não consegue olhar para o rosto de seu empregador. [2] Devemos então ser impacientes por fazer o bem; pois tudo provém de Deus. [3] Pois ele nos adverte: "Veja, o SENHOR vem! Veja! Ele traz consigo o prêmio para recompensar a cada um de acordo com seu trabalho" (Pv 24.12; Is 40.10; 62.11; Ap 22.12). [4] Ele nos manda, portanto, crer nele de todo o coração e não esmorecer ou negligenciar em "tudo o que é bom". [5] Ele deve ser a base de nosso orgulho e certeza. Devemos nos submeter a sua vontade. Devemos reparar em como toda a multidão de seus anjos está a postos para cumprir sua vontade. [6] Pois a Escritura diz: "Milhares de milhares o serviam; milhões e milhões estavam diante dele. E proclamavam uns aos outros: 'Santo, santo, santo é o SENHOR dos Exércitos, a terra inteira está cheia de sua glória'" (Dn 7.10; Is 6.3). [7] Nós também então devemos nos reunir para adorar em harmonia e mútua confiança e sinceramente suplicar-lhe como se tivéssemos uma única voz para que possamos compartilhar de suas grandes e gloriosas promessas. [8] Pois ele diz: "Olho nenhum viu, ouvido nenhum ouviu, mente nenhuma imaginou o que Deus preparou para aqueles que o amam" (1Co 2.9; cf. Is 64.4).

35 Como são abençoadas e surpreendentes as dádivas de Deus, amados! [2] A vida com a imortalidade, o esplendor com a retidão, a verdade com a confiança, a fé com a certeza, o autocontrole com a santidade! E todas essas coisas se situam no âmbito de nossa compreensão. [3] O que, nesse caso, está sendo preparado para aqueles que o aguardam? O Criador e Pai da eternidade, o todo-santo, ele mesmo sabe como isso é grande e maravilhoso. [4] Nós, então, devemos fazer todos os esforços para nos encontrar entre os que estão pacientemente à espera dele, de modo que possamos ter parte nas dádivas que ele prometeu. [5] E como acontecerá isso, amados? Isso acontecerá se nossa mente se fixar fielmente em Deus; se nós buscarmos o que é de seu agrado e deleite; se o que fizermos estiver de acordo com sua pura vontade e se seguirmos no caminho da verdade. Se nos libertarmos de toda perversão, maldade, avareza, agressividade, malícia, fraude, tagarelice, calúnia, aversão a Deus, arrogância, ambição, presunção e falta de hospitalidade. [6] Deus odeia não apenas essas ações, "mas também [os que] aprovam aqueles que as praticam" (Rm 1.32). [7] Pois lemos na Escritura: "Mas ao ímpio Deus diz: 'Que direito você tem de recitar as minhas leis ou de ficar repetindo a minha aliança? [8] Pois você odeia a minha disciplina e dá as costas às minhas palavras! Você vê um ladrão, e já se torna seu cúmplice, e com adúlteros se mistura. Sua boca está cheia de maldade e a sua língua formula a fraude. Deliberadamente você fala contra o seu irmão e calunia o filho de sua própria mãe. [9] Ficaria eu calado diante de tudo o que você tem feito? Você pensa que eu sou como você? [10] Mas agora eu o acusarei diretamente, sem omitir coisa alguma. [11] Considerem isto, vocês que se esquecem de Deus; caso contrário os despedaçarei, sem que ninguém os livre. [12] Quem me oferece sua gratidão como sacrifício, honra-me, e eu mostrarei a salvação de Deus ao que anda nos meus caminhos'" (Sl 50.16-23).

36 Este é o caminho, amados, no qual encontramos a nossa salvação: Jesus Cristo, o sumo sacerdote de nossos sacrifícios, o protetor e auxiliador em nossa fraqueza. [2] Por meio dele, fixamos nosso olhar nas alturas do céu. Nele vemos espelhada a pura e transcendente face de Deus. Por meio dele, os olhos de nosso coração se abriram. Por meio dele, nosso tolo e nebuloso entendimento irrompe para a luz. Por meio dele, o Mestre quis que provássemos o imortal conhecimento. Pois o "Filho é o resplendor da glória de Deus, tornando-se tão superior aos anjos quanto o nome que herdou é superior ao deles" (Hb 1.3-4). [3] Pois está escrito: "Ele faz de seus anjos ventos, e dos seus servos clarões reluzentes" (Hb 1.7; cf. Sl 104.4). [4] Mas sobre seu filho isto é o que diz o Mestre: "Tu és meu Filho; eu hoje te gerei. Pede-me, e eu te darei as nações como herança e os confins da terra como tua propriedade" (Sl 2.7-8). [5] E novamente ele lhe diz: "Senta-se à minha direita até que eu faça dos teus inimigos um estrado para os teus pés" (Sl 110.1). [6] Quem seriam os "inimigos"? Os que são maus e se opõem à vontade dele.

37 Falando com total sinceridade, irmãos, nós devemos seguir suas ordens irrepreensíveis. [2] Observemos com que disciplina, prontidão e obediência cumprem ordens os que servem sob o comando de nossos generais. [3] Nem todo mundo é general, coronel, sargento, e assim por diante. Mas cada um por sua vez executa as ordens do imperador e dos generais. [4] Os grandes não podem existir sem os pequenos, nem os pequenos sem os grandes. Todos estão interligados, e isso é uma vantagem. [5] Tomemos, por exemplo, nosso corpo. A cabeça não pode prescindir dos pés. Nem, de modo semelhante, podem os pés seguir vivendo sem a cabeça. "Os membros do corpo que parecem mais fracos são indispensáveis" (1Co 12.22), e são valiosos para o corpo inteiro. Sim, eles todos agem harmoniosamente e estão unidos em singular obediência à totalidade do corpo.

38 Em consequência disso, precisamos preservar nosso corpo cristão em sua totalidade. Cada um deve sujeitar-se a seu próximo, de acordo com seus dons especiais. [2] Os fortes devem cuidar dos fracos; os fracos devem respeitar os fortes. Os ricos devem prover aos pobres; os pobres devem agradecer a Deus por receberem dele alguém que os ajuda a enfrentar suas necessidades. Os sábios devem mostrar sua sabedoria não com palavras, mas em boas obras. Os humildes não devem se orgulhar de sua humildade, mas devem propiciar aos outros uma oportunidade de mencioná-la. Quem é casto não deve dar-se ares por isso. Deve reconhecer que seu autocontrole é uma dádiva de outro. [3] Devemos nos animar, irmãos, considerando de que material somos feitos, que espécie de criaturas éramos nós quando entramos no mundo, de que escura sepultura nos trouxe aquele que nos plasmou e criou. E devemos compreender os preparativos que ele, de modo tão generoso, fez antes de nosso nascimento. [4] Visto que, nesse caso, a ele devemos tudo isso, deveríamos render-lhe graças infinitas. A ele seja a glória para todo o sempre. Amém.

39 Pessoas descuidadas, tolas, insensatas e ignorantes zombam e riem-se de nós, numa tentativa, assim imaginam elas, de exaltar a si mesmas. [2] Mas o que podem fazer simples mortais? Que poder têm as criaturas desta terra? [3] Pois está escrito: "Um vulto se pôs diante dos meus olhos, e eu ouvi uma voz suave, que dizia: [4] 'Poderá algum mortal ser mais justo que Deus? Poderá algum homem ser mais puro que o seu Criador? [5] Se Deus não confia em seus servos, se vê erro em seus anjos e os acusa, quanto mais nos que moram em casas de barro, cujos alicerces estão no pó! São mais facilmente esmagados que uma traça! Entre o alvorecer e o crepúsculo são despedaçados; perecem para sempre, sem ao menos serem notados. [6] Ele sopra sobre eles, e eles morrem por falta de sabedoria'. [7] Clame, se quiser, mas quem o ouvirá? Para qual dos seres celestes você se voltará? O ressentimento mata o insensato, e a inveja destrói o tolo. [8] Eu mesmo já vi um insensato lançar raízes, mas de repente a sua casa foi amaldiçoada. [9] Seus filhos estão longe de desfrutar segurança, maltratados nos tribunais, não há quem os defenda. Pois o que foi preparado para eles, os justos comerão; e eles não serão resgatados de suas tribulações" (Jó 4.16—5.4).

40 Agora que isto está claro para nós e já espreitamos as profundezas do conhecimento divino, somos obrigados a cumprir ordenadamente o que o Mestre nos mandou fazer nos tempos adequados que ele estabeleceu. [2] Ele ordenou que oferecêssemos sacrifícios e serviços religiosos; e exigiu que isso fosse feito não de um modo descuidado e desordenado, mas em épocas e estações por ele estabelecidas. [3] Ele mesmo determinou, por sua suprema vontade, onde e por quem eles devem ser executados, para que tudo fosse feito de modo santo e com sua aprovação, e fosse aceitável a sua vontade. [4] Aqueles, portanto, que fazem suas oferendas na época estabelecida conseguem a aprovação e a bênção dele. Pois eles seguem as ordens do Mestre e não fazem nada errado. [5] Obrigações particulares são atribuídas ao sumo sacerdote e lugares especiais são designados aos sacerdotes, ao passo que aos levitas são atribuídas tarefas específicas. Os leigos devem obedecer ao código dos leigos.

41 Irmãos, cada um por sua vez deve conseguir a aprovação de Deus e ter uma consciência limpa. Não podemos transgredir as regras estabelecidas por nosso ministério, mas devemos cumpri-las de modo reverente. [2] Não é em toda parte, irmãos, que são oferecidos diferentes sacrifícios — os sacrifícios diários, os sacrifícios voluntários e aqueles oferecidos pelos pecados e transgressões —, mas apenas em Jerusalém. E até mesmo lá esses sacrifícios não são feitos em qualquer ponto, mas apenas na frente do santuário, junto ao altar, depois que o sumo sacerdote e os ministros mencionados inspecionaram as oferendas para verificar possíveis defeitos. [3] Aqueles, portanto, que de algum modo agem em desacordo com a vontade dele, estão sujeitos à pena de morte. [4] Percebam, irmãos, quanto mais conhecimento nos é dado, tanto maiores são os riscos que corremos.

42 Os apóstolos receberam do Senhor Jesus Cristo o evangelho para nós; Jesus, o Cristo, foi enviado por Deus. [2] Assim, Cristo vem de Deus e os apóstolos vêm de Cristo. Nos dois casos o procedimento ordenado depende da vontade de Deus. [3] E assim os apóstolos, tendo recebido suas ordens e estando plenamente convencidos da ressurreição do Senhor Jesus Cristo e assegurados da palavra de Deus, partiram confiando no Espírito Santo para pregar as boas-novas de que o reino de Deus estava prestes a chegar. [4] Pregaram no interior e nas cidades, e nomearam os primeiros convertidos, depois de testá-los pelo Espírito, para que fossem os bispos e diáconos dos futuros crentes. [5] E isso não foi nenhuma novidade, pois a Escritura havia mencionado bispos e diáconos muito tempo antes. Pois isto é o que a Escritura em alguma parte diz: "Nomearei seus bispos na justiça e seus diáconos na fé" (cit. n.i.).

43 E será que deveria causar admiração o fato de que os cristãos aos quais Deus confiou esse dever tenham nomeado pessoas para cargos oficiais? Considere-se também que o bem-aventurado Moisés, "que é fiel em toda a minha [de Deus] casa" (Nm 12.7), registrou nos livros sagrados todas as ordens que recebeu, e os outros profetas seguiram-no, confirmando a legislação dele. [2] Ora, quando surgiu a rivalidade acerca do sacerdócio, e as tribos começaram a discutir sobre qual delas deveria ser honrada com esse glorioso privilégio, Moisés ordenou que os doze chefes tribais lhe trouxessem varas, em cada uma das quais foi escrito o nome de uma tribo. Essas varas ele amarrou, marcando-as com os sinetes dos líderes tribais, e depois as colocou na tenda que guarda as tábuas da aliança de Deus. [3] Em seguida, fechou a tenda e marcou as chaves exatamente como fizera com as varas. [4] E disse aos chefes: "Irmãos, a tribo cuja vara brotar é a que Deus escolheu para o sacerdócio e para seu ministério" (cit. n.i.). [5] Bem cedo na manhã seguinte, ele reuniu todo o Israel, seiscentos mil homens, e mostrou os sinetes aos chefes tribais e abriu a tenda das tábuas da aliança e trouxe as varas. E se descobriu que a vara de Arão não só havia brotado, como também de fato dera frutos. [6] Que vocês pensam disso, amados? Será que Moisés sabia de antemão que isso aconteceria? Sabia, com certeza. Mas ele agiu como agiu para prevenir a anarquia em Israel, e para que o nome do Deus verdadeiro e único fosse glorificado. A ele seja a glória para todo o sempre. Amém.

44 Ora, os apóstolos, graças a nosso Senhor Jesus Cristo, sabiam que haveria discussões acerca do título de bispo. [2] Foi por essa razão e porque eles tinham um conhecimento preciso do futuro que eles nomearam os que deveriam ocupar os cargos mencionados. Além disso, eles depois acrescentaram um codicilo estabelecendo que, no caso de morte desses indicados, outros homens aprovados deveriam sucedê-los no ministério. [3] À luz desse fato, nós vemos como uma violação da justiça o ato de afastar do ministério aqueles que foram nomeados por eles [isto é, os apóstolos] ou, mais tarde, com o consenso de toda a Igreja, por outros que ocupavam uma posição apropriada e que, desfrutando há muito tempo da aprovação de todos, serviram ao rebanho de Cristo de modo irrepreensível, com humildade, com sobriedade e sem presunção. [4] Pois seremos culpados de um pecado muito grave se expulsarmos do episcopado homens que ofereceram os sacrifícios com inocência e santidade. [5] Felizes, de fato, são aqueles presbíteros que já deixaram este mundo e terminaram uma vida frutífera depois de completar sua tarefa. Pois eles não precisam temer que alguém os remova de suas posições seguras. [6] Mas nós notamos que vocês destituíram algumas pessoas, apesar de sua boa conduta, do ministério que elas exerceram de modo honrado e íntegro.

45 A contenda e a rivalidade de vocês, irmãos, nesse caso dizem respeito a questões que afetam nossa salvação. [2] Vocês estudaram a Sagrada Escritura, que contém a verdade e foi inspirada pelo Espírito Santo. [3] Vocês percebem que nela não há nada enganador ou que induza ao erro. Vocês não vão descobrir ali que pessoas corretas foram renegadas por homens santos. [4] Os justos, com certeza, foram perseguidos, mas por homens maus. Eles foram encarcerados, mas pelos ímpios. Foram apedrejados por transgressores, assassinados por homens motivados pela detestável e perversa rivalidade. [5] No entanto, nesses sofrimentos eles se comportaram com nobreza. [6] Que devemos dizer, irmãos? Por acaso Daniel foi atirado num covil de leões por aqueles que temiam a Deus? [7] Ou será que

Hananias, Azarias, ou Misael foram trancados na fornalha ardente por homens dedicados à magnífica e gloriosa adoração do Altíssimo? Absolutamente não! Quem foram, então, os autores desses feitos? Homens detestáveis, total e completamente perversos, cujo sectarismo os levou a tal grau de fúria que eles torturaram os que decididamente serviam a Deus em santidade e inocência. Eles não perceberam que o Altíssimo é o paladino e defensor daqueles que adoram seu excelente nome com consciência pura. A ele seja dada a glória para todo o sempre. Amém. [8] Mas aqueles que resistiram com confiança herdaram glória e honra. Esses foram exaltados, e Deus registrou o nome deles em sua memória para todo o sempre. Amém.

46 Irmãos, devemos seguir esses exemplos. [2] Pois está escrito: "Siga os santos, porque seus seguidores se tornarão santos" (cit. n.i.). [3] Além disso, outra passagem diz: "Ao puro te revelas puro, mas com o perverso reages à altura. Salvas os que são humildes, mas humilhas os de olhos altivos" (Sl 18.26-27). [4] Vamos, então, seguir os inocentes e os honestos. Eles é que são os eleitos de Deus. [5] Por que é que vocês alimentam contendas, mau humor, discórdias, cisões e desavenças? [6] Não temos nós um só Deus, um só Cristo, um só Espírito de graça que foi derramado sobre nós? Não é uma só a vocação em Cristo? [7] Por que nos laceramos e despedaçamos os membros de Cristo e provocamos uma revolta contra o nosso próprio corpo? Por que atingimos tal grau de insanidade a ponto de nos esquecermos do fato de que somos membros uns dos outros? Lembrem-se das palavras de nosso Senhor Jesus. [8] Pois ele disse: "Mas ai daquele que trai o Filho do homem! Melhor lhe seria não ter nascido! Seria melhor que ela [essa pessoa] fosse lançada no mar com uma pedra de moinho amarrada no pescoço do que levar um desses pequeninos a pecar" (Mt 26.24; Lc 17.2). [9] A cisão de vocês levou muitos à perdição; provocou em muitos o desespero, foi para muitos causa de dúvida, e a todos nos fez sofrer. E, no entanto, ela continua!

47 Tomem a carta do bem-aventurado apóstolo Paulo. [2] Qual foi a primeira coisa que ele lhes escreveu, "nos seus primeiros dias de evangelho" (Fp 4.15)? [3] Com certeza, sob a orientação do Espírito, ele lhes escreveu sobre si mesmo, Cefas e Apolo, porque exatamente naquela época vocês haviam formado partidos. [4] O sectarismo, porém, naquela época era um problema menos sério, uma vez que vocês eram partidários de notáveis apóstolos e de um homem aprovado por eles. [5] Mas pensem agora quem são aqueles que os desviaram do caminho certo e aviltaram o honroso e celebrado amor fraterno. [6] É vergonhoso, extremamente vergonhoso, e indigno da educação cristã de vocês, ouvir dizer que por causa de um ou dois indivíduos a sólida e antiga igreja de Corinto passa por uma revolta contra seus presbíteros. [7] Além disso, esse relato chegou não apenas até nós, mas também até aqueles que de nós discordam. O resultado disso é que o nome do Senhor está sendo difamado devido a sua estupidez, e vocês estão se expondo ao perigo.

48 Precisamos, então, pôr logo um fim nisso. Devemos prostrar-nos diante do Mestre e suplicar-lhe com lágrimas que tenha compaixão de nós, reconciliando-se conosco e trazendo-nos de volta para nossa honrada e santa prática do amor fraterno. [2] Pois esta é na verdade a porta da justiça que abre o caminho para a vida, conforme está escrito: "Abram as portas da justiça para mim, pois quero entrar para dar graças ao SENHOR. [3] Esta é a porta do SENHOR, pela qual entram os justos" (Sl 118.19-20). [4] Embora haja muitas portas abertas, a porta da justiça é a porta cristã. Felizes são os que entram por ela e dirigem seus passos "em santidade e justiça" (Lc 1.75), fazendo tudo sem desordem alguma. [5] Que o homem seja fiel, que seja capaz de expressar conhecimento, que seja sábio no julgamento de discussões, que seja puro em sua conduta. [6] Mas quanto maior ele parecer, tanto mais humilde ele deve ser, e tanto mais disposto a buscar o bem comum, preferindo-o a seu próprio bem.

49 Quem tem um amor cristão deve observar os mandamentos de Cristo. [2] Quem pode descrever o vínculo do amor de

Deus? [3] Quem é capaz de expressar sua grande beleza? [4] As alturas para as quais o amor conduz vão além do poder da descrição. [5] O amor nos une a Deus. "O amor perdoa muitíssimos pecados" (1Pe 4.8; cf. Pv 10.12). O amor suporta tudo e é sempre paciente. Não há nada vulgar no amor, nada arrogante. O amor nada sabe de cisão ou revolta. O amor tudo faz em harmonia. Por amor todos os eleitos de Deus foram criados perfeitos. Sem amor nada pode agradar a Deus. [6] Por amor o Mestre nos aceitou. Por causa de seu amor por nós, e de acordo com a vontade de Deus, Jesus Cristo nosso Senhor deu seu sangue por nós, seu corpo pelo nosso corpo e sua vida pela nossa.

50 Percebam, irmãos, como o amor é grande e surpreendente e como sua perfeição é indescritível. [2] Quem pode possuí-lo, a não ser aqueles a quem Deus concedeu o privilégio? Vamos, então, rogar e suplicar-lhe que misericordiosamente nos conceda amar sem a parcialidade humana e nos torne irrepreensíveis. [3] Todas as gerações de Adão até hoje passaram, mas aqueles que, pela graça de Deus, foram aperfeiçoadas no amor têm um lugar entre os santos, que aparecerão quando o reino de Cristo chegar. [4] Pois está escrito: "Vá, meu povo, entre em seus quartos e tranque as portas; esconda-se por um momento até que tenha passado a ira dele, e eu vou lembrar um dia de bondade e vou abrir os seus túmulos e fazê-los sair; trarei vocês de volta" (Is 26.20; Ez 37.12). [5] Felizes somos nós, amados, se observarmos os mandamentos de Deus na harmonia do amor, de modo que pelo amor nossos pecados possam ser perdoados. [6] Pois está escrito: "Como são felizes aqueles que têm suas transgressões perdoadas, cujos pecados são apagados! Como é feliz aquele a quem o SENHOR não atribui culpa!" (Rm 4.7-8; cf. Sl 32.1-2). [7] Essa é a bênção que foi dada àqueles que Deus escolheu por meio de Jesus Cristo nosso Senhor. A ele seja dada a glória para todo o sempre. Amém.

51 Vamos, então, pedir perdão pelas nossas falhas e por qualquer coisa que tenhamos feito por instigação do adversário. E aqueles que são os cabeças da revolta e da discórdia deveriam refletir sobre a natureza comum de nossa esperança. [2] Aqueles, certamente, que vivem em temor e amor prefeririam sofrer ofensas eles mesmos a ver seus vizinhos passar por isso. Eles preferem suportar uma condenação eles mesmos a lançar em desgraça nossa tradição de nobre e justa harmonia. [3] É melhor para o homem confessar seus pecados do que endurecer o coração como fizeram os que se rebelaram contra o servo de Deus, Moisés. O veredicto contra eles foi muito claro. [4] Pois eles "desceram vivos à sepultura", e "a morte lhe servirá de pastor" (Nm 16.33; Sl 49.14). O faraó e seu exército e todos os príncipes do Egito e "os carros e os que neles andavam" foram engolidos pelo mar Vermelho e pereceram (Êx 14.23), pela simples razão de que eles endureceram seu coração tolo depois que Moisés, o servo de Deus, havia produzido sinais e maravilhas no Egito.

52 O Mestre, irmãos, não precisa de nada. Ele nada quer de ninguém, exceto ser louvado. [2] Pois Davi, seu predileto, diz: "Louvarei o nome de Deus; isso agradará o SENHOR mais do que bois com seus chifres e cascos. Os necessitados o verão e se alegrarão" (Sl 39.30-32). [3] E ele também diz: "Ofereça a Deus em sacrifício a sua gratidão, cumpra seus votos para com o Altíssimo, e clame a mim no dia da angústia; e eu o livrarei, e você me honrará. Os sacrifícios que agradam a Deus são um espírito quebrantado" (Sl 50.14-15; 51.17).

53 Vocês conhecem as Sagradas Escrituras, amados — vocês as conhecem bem —, e vocês estudaram os oráculos de Deus. É para lembrar-lhes isso que escrevemos deste jeito. [2] Quando Moisés subiu à montanha e passou quarenta dias e quarenta noite jejuando e se mortificando, Deus lhe disse: "Desça imediatamente, pois o seu povo, que você tirou do Egito, corrompeu-se. Eles se afastaram bem depressa do caminho que lhes ordenei e fizeram um ídolo de metal para si" (Dt 9.12). [3] E o Senhor lhe disse: "Tenho visto que este povo é um povo obstinado. Deixe-me agora, para que a minha ira se acenda contra eles, e eu os destrua. Depois farei de você uma grande nação, muito maior do que esta" (Êx 32.9-10). [4] E Moisés respondeu: "Ah, que grande pecado cometeu este povo! Fizeram para si deuses de ouro. Mas agora, eu te rogo, perdoa-lhes o pecado; se não, risca-me do teu livro que escreveste" (Êx 32.31-32). [5] Ó grande amor! Ó insuperável perfeição! O servo fala diretamente com seu Senhor. Ele pede perdão para seu povo ou requer que ele também seja varrido com eles.

54 Ora, quem dentre vocês é nobre, generoso e repleto de amor? [2] Que essa pessoa diga: "Se é por minha culpa que surgiram a rebelião, a disputa e a cisão, eu irei embora, irei para onde vocês quiserem e farei o que a congregação determinar. Que o rebanho de Cristo simplesmente viva em paz com os que foram nomeados seus presbíteros". [3] O homem que fizer isso conquistará para si mesmo grande glória em Cristo, e será bem-vindo em qualquer lugar. "Do Senhor é a terra e tudo o que nela existe" (Sl 24.1). [4] Essa é e sempre será a conduta daqueles que não lamentam o fato de pertencerem à cidade de Deus.

55 Tomemos alguns exemplos pagãos. Em tempos de peste muitos reis e governantes, instigados por oráculos, entregaram-se à morte para resgatar seus súditos com seu próprio sangue. Muitos deixaram suas cidades para pôr fim a uma revolução. [2] Conhecemos muitos de nossas próprias fileiras que se fizeram encarcerar pelo resgate de outros. Muitos se venderam como escravos e deram o dinheiro auferido para alimentar outros. [3] Muitas mulheres, fortalecidas pela graça de Deus, executaram feitos dignos de homens. [4] A abençoada Judite, quando sua cidade estava sitiada, pediu aos anciões que lhe permitissem deixá-la ir para o acampamento inimigo. [5] Assim ela se expôs ao perigo e, por amor a seu país e a seu povo sitiado, ela partiu. E o Senhor entregou Holofernes pelas mãos de uma mulher. [6] A um perigo nada menor se expôs Ester, aquela mulher de fé perfeita, no intuito de resgatar as doze tribos de Israel que estavam prestes a ser destruídas. Com seu jejum e penitência ela implorou ao Mestre que tudo vê, o eterno Deus; e ele contemplou a humildade de sua alma e resgatou seu povo pelo qual ela havia enfrentado o perigo.

56 Assim, nós também devemos interceder por qualquer um que tenha caído em pecado, pedindo que ele tenha ponderação e humildade e se submeta, não a nós, mas à vontade de Deus. Pois desse modo ele se mostrará frutífero e perfeito quando Deus e os santos se lembrarem dele com misericórdia. [2] Devemos aceitar correções, amados. Ninguém deveria ofender-se com isso. Advertências mútuas são boas e completamente benéficas, porque nos prendem à vontade de Deus. [3] Isto é o que a Palavra Sagrada diz sobre o caso: "O SENHOR me castigou com severidade, mas não me entregou à morte. [4] Pois o SENHOR disciplina a quem ama, e castiga todo aquele que aceita como filho" (Sl 118.18; Hb 12.6; cf. Pv 11.12). [5] Pois está escrito: "Fira-me o justo com amor leal e me repreenda, mas não perfume a minha cabeça o óleo do ímpio" (Sl 141.5). [6] E também está escrito: "Como é feliz o homem a quem Deus corrige; portanto, não despreze a disciplina do Todo-poderoso. [7] Pois ele machuca, mas suas mãos também curam. [8] De seis desgraças ele o livrará; em sete delas você nada sofrerá. [9] Na fome ele o livrará da morte, e na guerra o livrará do golpe da espada. [10] Você será protegido do açoite da língua, e não precisará ter medo quando a destruição chegar. [11] Você rirá da destruição e da fome, e não precisará temer as feras da terra. [12] Pois fará aliança com as pedras do campo, e os animais selvagens estarão em paz com você. [13] Você saberá que a sua tenda é segura; contará os bens da sua morada e de nada achará falta. [14] Você saberá que os seus filhos serão muitos, e que os seus descendentes serão como a relva da terra. [15] Você irá para a sepultura em pleno vigor, como um feixe recolhido no devido tempo" (Jó 5.17-26). [16] Percebam, amados, como estão bem protegidos aqueles que o Mestre castiga. Sim, ele é como um bom Pai, e nos castiga para que o resultado dessa santa disciplina possa redundar para nós em misericórdia.

57 E é por isso que vocês que são responsáveis pela rebelião devem submeter-se aos presbíteros. Vocês devem humilhar seu coração e sofrer o castigo para que se arrependam. [2] Devem aprender a obedecer, e acabar com sua jactância e controlar sua língua arrogante. Pois para vocês ter um lugar insignificante, mas digno, no rebanho de Cristo é melhor do que sobressair e ser excluído de sua esperança. [3] Pois isto é o que a excelente Sabedoria diz: "Se acatarem a minha repreensão, eu lhes darei um espírito de sabedoria e lhes revelarei os meus pensamentos. [4] Vocês, porém, rejeitaram o meu convite; ninguém se importou quando estendi minha mão! Visto que desprezaram totalmente o meu conselho e não quiseram aceitar a minha repreensão, eu, de minha parte, vou rir-me da sua desgraça; zombarei quando o que temem se abater sobre vocês, quando aquilo que temem abater-se sobre vocês como uma tempestade, quando a desgraça os atingir como um vendaval, quando a angústia e a dor os dominarem. [5] Então vocês me chamarão, mas não responderei; procurarão por mim, mas não me encontrarão. Visto que desprezaram o conhecimento e recusaram o temor do SENHOR, não quiseram aceitar o meu conselho e fizeram pouco caso da minha advertência, [6] comerão do fruto da sua conduta e se fartarão de suas próprias maquinações. [7] Por maltratarem bebês, eles serão mortos; e os ímpios, sendo descobertos, serão destruídos; mas quem me ouvir viverá em segurança e estará tranquilo, sem temer nenhum mal" (Pv 1.23-33).

58 Assim, então, vamos obedecer a seu santíssimo e glorioso nome e evitar as ameaças que a Sabedoria prenunciou contra os desobedientes. Desse modo, viveremos em paz, tendo confiança em seu santíssimo e majestoso nome. [2] Aceitem nosso conselho, e vocês nunca irão se arrepender. Pois assim como Deus vive, e assim como vive o Senhor Jesus Cristo e o Espírito Santo em quem os eleitos creem e esperam, o homem que com humildade e intensa ponderação e sem arrependimentos faz o que Deus decretou e ordenou será alistado e recrutado nas fileiras dos que são salvos por meio de Jesus Cristo. Por ele seja dada glória a Deus para todo o sempre. Amém.

59 Se, em contrapartida, houver alguns que deixam de obedecer ao que Deus lhes ordenou por nosso intermédio, esses devem entender que se enredarão no pecado e num perigo nada desprezível. [2] De nossa parte, nós não seremos responsáveis por esse pecado. Mas com sinceras orações e súplicas imploraremos que o Criador do universo mantenha intacto o número preciso dos seus eleitos no mundo inteiro, por meio de seu amado Filho Jesus Cristo. Foi por meio dele que Deus nos chamou "das trevas para a luz" (At 26.18), da ignorância para o reconhecimento de seu glorioso nome, [3] para esperar em seu nome, que é a origem de toda a criação.

[Ó Deus, tu] abriste "os olhos do coração" (Ef 1.18) para que nós entendêssemos que apenas tu és o mais alto dos altíssimos, e sempre permaneces santo entre os santos. Tu humilhas o orgulho do arrogante, anulas os planos das nações, exaltas os humildes e humilhas os orgulhosos. Tu fazes ricos e fazes pobres; tu matas e trazes de volta à vida; somente tu és o guardião dos espíritos e o Deus de toda carne. Tu enxergas nas profundezas: tu avalias os feitos dos homens; tu ajudas os que correm perigo e salvas os que estão em desespero. Tu és o Criador de todos os espíritos e zelas por eles. Tu multiplicas as nações da terra, e dentre todas elas escolheste aquelas que te amam por meio de Jesus Cristo, o teu amado Filho. Por meio dele tu nos educaste, fizeste-nos santos e nos honraste.

[4] Nós te pedimos, Mestre, sê nosso socorro e defensor. Resgata aqueles de nossas fileiras que estão aflitos; levanta os caídos; assiste os necessitados; cura os enfermos; traze de volta os de teu povo que se desgarraram; alimenta os famintos; liberta os cativos; reanima os fracos; encoraja os que desanimam. "Assim todos os povos da terra saberão que o Senhor é Deus e que não há nenhum outro" (1Rs 8.60), que Jesus Cristo é teu Filho e que nós somos "o teu povo, as ovelhas das tuas pastagens" (Sl 79.13).

60 Tu criaste a eterna estrutura do mundo pelo que fizeste. Tu, Senhor, criaste a terra. Tu és fiel em todas as gerações, justo no julgamento, maravilhoso em força e majestade, sábio na criação, prudente na manutenção do que foi criado, visivelmente bom, bondoso com quem confia em ti, misericordioso e compassivo — perdoa nossos pecados, maldades, transgressões e falhas. [2] Não leves em consideração todos os pecados de teus escravos e escravas, mas purifica-nos com a purificação da tua verdade, e guia nossos passos para que caminhemos com o coração santo e façamos o que é bom e agradável a ti e nossos governantes.

[3] Sim, Mestre, volta para nós teu rosto radiante em paz, para o nosso bem, para que possamos ser protegidos por teu braço erguido. [4] Livra-nos também de todos que nos odeiam sem um bom motivo. Concede-nos e a todos que vivem sobre a terra harmonia e paz, como fizeste com nossos pais quando eles, reverentes, te invocaram com fé e sinceridade. E permite que possamos ser obedientes ao teu todo-poderoso e glorioso nome, e aos nossos soberanos e governantes na terra.

61 Tu, Mestre, deste-lhes poder imperial por meio de teu majestático e indescritível poder, de modo que nós, reconhecendo que foste tu quem lhes deu glória e honra, possamos nos submeter a eles, e de modo algum nos opor a tua vontade. Concede-lhes, Senhor, paz, harmonia e estabilidade, para que eles não venham a cometer nenhuma ofensa na administração do governo que tu lhes deste. [2] Pois és tu, Mestre, o celestial Rei da eternidade, que conferes aos filhos dos homens glória e honra e autoridade sobre as pessoas deste mundo. Dirige os planos deles, ó Senhor, de acordo com o que é bom e do teu agrado, de modo que eles possam administrar a autoridade que lhes outorgaste, com paz, prudência e reverência, e assim conquistar a tua misericórdia. [3] Nós te louvamos, pois és o único capaz de fazer isso e coisas ainda melhores em nosso proveito, por meio do sumo sacerdote e guardião de nossa alma, Jesus Cristo. Por meio dele seja dada a glória e a majestade a ti agora e por todas as gerações para todo o sempre. Amém.

62 Nós já lhes escrevemos o suficiente, irmãos, acerca do que convém a nossa religião e do que é mais útil para aqueles que, de modo reverente e correto, desejam levar uma vida virtuosa. [2] Nós, de fato, tratamos de todos os temas — fé, arrependimento, amor genuíno, autocontrole, sobriedade e paciência. Nós lhes lembramos que vocês devem reverentemente agradar ao Deus todo-poderoso com sua retidão, autenticidade e resignação. Vocês devem viver em harmonia, sem ressentimentos, no amor, na paz e com verdadeiro respeito mútuo, exatamente como nossos pais, que como já mencionamos obtiveram a aprovação por sua humilde atitude para com o Pai, o Deus Criador, e para com todos os homens. [3] Sentimo-nos, além disso, ainda mais satisfeitos por lembrar-lhes essas coisas, porque percebemos muito bem que estávamos escrevendo para pessoas que eram realmente crentes e desfrutavam da mais alta posição, pessoas que haviam estudado os oráculos do ensinamento de Deus.

63 Consequentemente, é mais que justo que, diante desses exemplos tão numerosos, devamos curvar a cabeça e adotar a atitude da obediência. Assim, renunciando à fútil revolta, podemos nos livrar de qualquer censura e conquistar o verdadeiro objetivo diante de nós. [2] Sim, vocês nos deixarão extremamente felizes caso se mostrem obedientes àquilo que nós, instigados pelo Espírito Santo, temos escrito e se, acolhendo a súplica de nossa carta pedindo paz e harmonia, vocês se livrarem de sua perversa e ardente rivalidade.

[3] Também estamos lhes enviando pessoas discretas e dignas de confiança que, desde a juventude até a velhice, têm levado uma vida irrepreensível em nosso meio. Elas serão as testemunhas intermediárias entre nós. [4] Fizemos isso para que vocês saibam que toda a nossa preocupação tem sido, e continua sendo, a de restaurar rapidamente a paz entre vocês.

64 E que agora o Deus que tudo vê e é Mestre de espíritos e Senhor de toda carne, que escolheu o Senhor Jesus Cristo e a nós por meio dele para sermos o seu povo, conceda a todas as almas, sobre as quais o seu magnífico e santo nome foi invocado, fé, temor, paz, paciência, resignação, autocontrole, pureza e sobriedade. Que assim possamos merecer sua aprovação por meio de nosso sumo sacerdote e defensor, Jesus Cristo. Por ele seja dada glória, majestade, poder e honra a Deus, agora e para todo o sempre. Amém.

65 Mandem logo de volta, em paz e alegria, nossos delegados Cláudio Efebo e Valério Bito, juntamente com Fortunato. Assim eles trarão mais cedo as notícias daquela paz e harmonia tão desejadas pelas quais temos orado, e nós, por nossa vez, mais rapidamente nos alegraremos pela condição saudável de vocês.

A graça de nosso Senhor Jesus Cristo esteja com vocês e com todos que Deus chamou por meio dele. Por ele sejam dados a Deus glória, honra, poder, majestade e eterno domínio, pelos séculos dos séculos. Amém.

Sermão anônimo comumente denominado Segunda carta de Clemente aos coríntios

O TEXTO

1 Irmãos, nós devemos pensar em Jesus Cristo como pensamos em Deus — vendo-o como o "juiz dos vivos e dos mortos" (1Pe 4.5). E não devemos desprezar nossa salvação. [2] Pois quando a desprezamos, pouco esperamos receber; e aqueles que ouvem falar dela como se se tratasse de uma questão insignificante, cometem um erro. E nós também cometemos um erro quando não nos damos conta de onde, por quem e em que circunstâncias fomos chamados, e de quanto sofrimento Jesus Cristo suportou por nós. [3] Como, então, vamos recompensá-lo por isso, ou que pagamento é digno de sua dádiva a nós? Quantas bênçãos lhe devemos! [4] Pois ele nos deu a luz; como um Pai nos chamou de filhos; resgatou-nos quando estávamos perecendo. [5] Como, então, vamos louvá-lo, ou como vamos recompensá-lo pelo que recebemos? [6] Nossa mente estava prejudicada; adorávamos pedra e madeira, ouro e prata e bronze, as obras dos homens; e toda a nossa vida nada mais era que morte. Assim, quando estávamos envoltos em trevas e nossos olhos estavam repletos dessa névoa, por vontade dele recuperamos a visão e nos livramos da nuvem que nos envolvia. [7] Pois ele teve compaixão de nós e com sua ternura nos salvou, porque viu nosso grande erro e ruína e concluiu que não tínhamos nenhuma esperança de salvação, a menos que ela viesse dele. [8] Pois ele nos chamou quando não éramos nada, e do nada determinou nossa existência.

2 "Cante, ó estéril, você que nunca teve um filho; irrompa em canto, grite de alegria, você que nunca esteve em trabalho de parto; porque mais são os filhos da mulher abandonada do que os daquela que tem marido" (Is 54.1). Quando ele diz: "Cante, ó estéril, você que nunca teve um filho", refere-se a nós; pois nossa igreja era estéril antes que lhe fossem dados filhos. [2] E quando diz: "grite de alegria, você que nunca esteve em trabalho de parto", isto é o que ele quer dizer: nós devemos oferecer nossas orações a Deus com sinceridade, e não esmorecer como mulheres em trabalho do parto. [3] E ele acrescenta: "mais são os filhos da mulher abandonada do que os daquela que tem marido", porque nosso povo parecia estar abandonado por Deus. Mas agora que cremos, nós nos tornamos mais numerosos que aqueles que pareciam ter Deus. [4] E outro texto da Escritura diz: "Eu não vim para chamar justos, mas pecadores" (Mc 2.17). [5] Isso significa que aqueles que estão perecendo devem ser salvos. [6] Sim, uma coisa grande e maravilhosa é sustentar, não as coisas que estão de pé, mas as que estão caindo. [7] Foi assim que o Cristo determinou salvar o que estava perecendo; e salvou muitos quando veio e chamou a nós que estávamos de fato morrendo.

3 Vendo, então, que ele teve essa compaixão por nós, no fato, primeiramente, de que nós que estamos vivos não oferecemos sacrifícios a deuses mortos e os adoramos, mas por meio dele passamos a conhecer o Pai da verdade — o que significa conhecê-lo, senão recusar-se a negar aquele por intermédio do qual viemos a conhecer o Pai? [2] Ele mesmo diz: "Quem, pois, me confessar diante dos homens, eu também o confessarei diante do meu Pai" (Mt 10.32). [3] Essa, portanto, é a nossa recompensa oferecida a Deus: reconhecermos aquele por meio do qual estamos salvos. [4] Mas como o reconhecemos? Fazendo o que ele manda e não desobedecendo a seus mandamentos; honrando-o não apenas com os lábios, mas de todo o coração e mente. E ele em Isaías também diz: "Esse povo se aproxima de mim com a boca e me honra com os lábios, mas o seu coração está longe de mim" (Is 29.13).

4 Não vamos simplesmente chamá-lo de Senhor, pois isso não nos salvará. [2] Pois ele diz: "Nem todo aquele que diz: 'Senhor, Senhor', entrará no Reino dos céus, mas apenas aquele que faz a vontade de meu Pai que está nos céus" (Mt 7.21). [3] Assim, irmãos, vamos reconhecê-lo com nossas ações, amando-nos uns aos outros, evitando o adultério, a maledicência e o ciúme, sendo comedidos, compassivos, bondosos. Devemos ter compreensão uns pelos outros, e não mesquinhez. Vamos reconhecê-lo agindo desse modo, e não do contrário. [4] Não devemos ter mais medo dos homens do que de Deus. [5] Foi para preveni-los contra esse tipo de comportamento que o Senhor disse: "Se vocês estiverem reunidos comigo na intimidade e não observarem meus mandamentos, eu os expulsarei e lhes direi: 'Nunca os conheci. Afastem-se de mim vocês, que praticam o mal'" (Mt 7.23).

5 Portanto, irmãos, sem nos demorar neste mundo, vamos fazer a vontade daquele que nos chamou, e não tenhamos medo de deixar esta vida. [2] Pois o Senhor disse: "Eu os estou enviando como cordeiros entre lobos" (Lc 10.3). [3] Mas Pedro replicou, dizendo: "E se os lobos estraçalharem os cordeiros?" (cit. n.i.). [4] Jesus disse a Pedro: "Depois de morrerem, os cordeiros não devem temer os lobos, nem vocês devem temer os que matam e nada mais podem fazer contra vocês. Mas temam aquele que, quando vocês estão mortos, tem poder sobre a alma e o corpo de vocês e pode lançar os dois nas chamas do inferno" (Lc 12.4-5). [5] Vocês precisam entender, irmãos, que nossa estada neste mundo da carne é insignificante e breve, mas a promessa de Cristo é grande e maravilhosa, e significa descanso no reino futuro e na vida eterna. [6] O que, então, devemos fazer para conseguir essas coisas, a não ser levar uma vida de santidade e retidão e considerar as coisas do mundo como alheias a nós e não desejá-las? [7] Pois no intuito de obtê-las nós abandonamos o caminho certo.

6 O Senhor diz: "Ninguém pode servir a dois senhores" (Mt 6.24). Se quisermos servir a Deus e ao dinheiro, as consequências não serão boas para nós. [2] "Pois, que adiantará ao homem ganhar o mundo inteiro e perder a sua alma?" (Mt 16.26) [3] Este mundo e o mundo futuro são dois inimigos. [4] Este significa adultério, corrupção, avareza e dolo, ao passo que o outro renuncia a essas coisas. [5] Não podemos, portanto, ser amigos dos dois. Para ganhar um, temos de renunciar ao outro. [6] Nós achamos que é melhor detestar o que temos aqui, pois é insignificante, transitório e perecível, e valorizar o que temos lá — coisas boas e imperecíveis. [7] Sim, se fizermos a vontade de Cristo, encontraremos o descanso, mas se não for assim, nada nos salvará do castigo eterno, se deixarmos de obedecer a seus mandamentos. [8] Além disso, a Escritura também diz em Ezequiel: "Mesmo que Noé, Daniel e Jó estivessem nela [naquela terra], eles não poderiam livrar seus filhos e suas filhas" (Ez 14.20). [9] Se até mesmo homens retos como esses não podem salvar seus filhos por meio de sua retidão, que certeza temos nós de que vamos entrar no reino de Deus se não preservarmos nosso batismo puro e imaculado? Ou quem intercederá por nós se for descoberto que não temos obras santas e justas para apresentar?

7 Assim, irmãos, vamos entrar na competição, reconhecendo que ela está prestes a acontecer e que, enquanto muitos vêm por mar em competições corruptíveis, nem todos conseguirão lauréis, mas apenas os que lutaram com denodo e competiram bem. [2] Vamos, portanto, competir de modo que possamos todos ser coroados. [3] Vamos participar da corrida honesta, da competição incorruptível; e que muitos de nós participem dela, para que nós também sejamos coroados. E se não pudermos ser coroados, vamos pelo menos chegar perto da vitória. [4] Precisamos entender que se um competidor numa competição corruptível for apanhado trapaceando, ele é açoitado, afastado e expulso da raia. [5] O que vocês acham disso? Que deverá acontecer com o homem que trapaceia na competição do incorruptível? [6] Pois referindo-as àqueles que não guardaram o selo, está escrito: "O verme destes não morrerá, e o fogo não se apagará, e causarão repugnância a toda a humanidade" (Is 66.24; cf. Mc 9.44).

8 Enquanto estamos sobre a terra, vamos nos arrepender. Pois somos como argila nas mãos de um artesão. [2] Se um oleiro fizer um vaso e ele se deformar ou quebrar em suas mãos, ele o molda de novo; mas depois que o houver levado à fornalha, nada mais pode fazer com o vaso. De modo semelhante, enquanto estamos neste mundo, vamos nós também nos arrepender, com todo o coração, do mal que praticamos em nossa vida, de modo que possamos ser salvos pelo Senhor enquanto temos uma oportunidade de fazê-lo. [3] Pois assim que houvermos deixado este mundo já não poderemos nos confessar ou arrepender. [4] Desse modo, irmãos, fazendo a vontade do Pai e mantendo-nos puros na carne e observando os mandamentos do Senhor, obteremos a vida eterna. [5] Pois diz o Senhor no evangelho: "Se vocês não guardarem o que é pequeno, quem lhes dará o que é grande? Pois eu lhes digo que quem é fiel no pouco, também é fiel no muito" (Lc 6.10). Portanto, o que ele quer dizer é isto: guardem o corpo puro e o selo intacto, para que vocês possam obter a vida eterna.

9 Além disso, que nenhum de vocês diga que este corpo não será julgado e não ressuscitará novamente. [2] Considerem o seguinte: em que estado vocês foram salvos? Em que estado vocês recuperaram a visão, se não enquanto estavam no corpo? [3] Portanto, nós devemos guardar o corpo como templo de Deus. [4] Pois exatamente como foram chamados no corpo, vocês voltarão no corpo. [5] Se Cristo, o Senhor que nos salvou, foi feito corpo embora antes fosse espírito, e dessa forma nos chamou, da mesma forma nós também, exatamente neste corpo, receberemos nossa recompensa. [6] Amemo-nos, portanto, uns aos outros, de modo que possamos chegar ao reino de Deus. [7] Enquanto temos uma oportunidade de ser curados, vamos nos entregar a Deus, o médico, e, por nossa vez, retribuir-lhe. [8] Como? Arrependendo-nos de coração sincero. [9] Pois ele tudo sabe de antemão e percebe o que está em nosso íntimo. [10] Vamos, então, louvá-lo, não apenas da boca para fora, mas de coração, para que ele possa nos aceitar como filhos. [11] Pois o Senhor disse: "Pois quem faz a vontade de meu Pai, este é meu irmão, minha irmã e minha mãe" (Mt 12.50).

10 Assim, meus irmãos, vamos satisfazer a vontade do Pai que nos chamou, de modo que possamos ter vida, e que nossa preferência seja buscar a virtude. Vamos renunciar ao vício que é o precursor de nossos pecados, e vamos fugir da impiedade, para que as maldades não nos alcancem. [2] Pois se estamos ansiosos por fazer o bem, a paz virá ao nosso encontro. [3] É por essa razão que os homens não conseguem encontrar a paz. Eles não resistem aos temores humanos e preferem os prazeres do presente às promessas do futuro. [4] Pois eles não percebem que grande tormento acompanha os prazeres do presente e que deleite está associado às promessas do futuro. [5] Se eles fizessem essas coisas por conta própria, seria tolerável. Mas eles insistem em ensinar o mal a almas inocentes, e não se dão conta de que eles e seus seguidores terão sua condenação redobrada.

11 Vamos, portanto, servir a Deus de coração puro, e nós seremos honestos. Mas se, não acreditando nas promessas de Deus, nós não servirmos a ele, seremos desprezíveis. [2] Pois a palavra do profeta diz: "Infelizes são os inconstantes, aqueles que em seu íntimo duvidam e dizem: 'Ouvimos essas coisas até na época de nossos pais e, vejam, chegamos à velhice e nenhuma delas nos aconteceu'" (cit. n.i.). [3] Tolos! Comparem-se a uma planta. Por exemplo, uma videira: primeiro ela perde as folhas, depois aparece um broto, depois uma folha, depois uma flor e depois uvas verdes e, finalmente, um cacho maduro. [4] Do mesmo modo meu povo tem passado por tumultos e dificuldades; mas depois disso ele receberá coisas boas. [5] Assim, meus irmãos, não devemos ser inconstantes. Pelo contrário, devemos pacientemente aguardar com esperança de modo que possamos conquistar nossa recompensa. [6] Pois "aquele que prometeu é fiel" e pagará a cada um o salário devido por seu trabalho (Hb 10.23). [7] Se, portanto, nós tivermos feito o que aos olhos de Deus é correto, entraremos no reino e receberemos as promessas que "olho nenhum viu, ouvido nenhum ouviu, mente nenhuma imaginou" (1Co 2.9; cf. Is 64.4).

12 Amando e fazendo o que é certo, nós devemos ficar alertas ao reino de Deus, a cada hora, uma vez que não sabemos o dia em que Deus aparecerá. [2] Pois quando alguém perguntou ao Senhor quando seu reino chegaria, ele disse: "Quando os dois serão um, e o exterior igual ao interior, e o masculino com o feminino, nem masculino nem feminino" (Evangelho de Tomé, pv. 22 [livro não canônico]). [3] Ora, "os dois" são "um" quando dizemos um ao outro a verdade e dois corpos abrigam uma única mente sem nenhum engano. [4] "O exterior igual ao interior" significa isto: "o interior" é a alma e "o exterior" é o corpo. Do mesmo modo que o corpo de vocês é visível, assim tornem sua alma visível por meio de suas boas ações. [5] Além disso, "o masculino com o feminino, nem masculino nem feminino" significa isto: que quando um irmão vê uma irmã ele não deve pensar no sexo dela, assim como ela não deve pensar no dele. [6] Quando vocês praticarem essas coisas, diz ele, o reino de meu Pai virá.

13 No momento presente, meus irmãos, devemos nos arrepender e ficar bem atentos ao bem, pois estamos repletos de muita estupidez e fraqueza. Devemos apagar de nós os antigos pecados e, pelo arrependimento sincero, conseguir a salvação. E não devemos procurar agradar aos homens ou apenas a nós mesmos, mas, fazendo o que é certo, agradar até os estranhos, de modo que o Nome não seja alvo de zombaria por nossa culpa. [2] Pois o Senhor diz: "Meu nome é continuamente escarnecido por todos os povos"; e também: "Ai daquele por meio do qual meu nome é escarnecido!" (cit. n.i.). Como ele é escarnecido? Por suas falhas quando vocês não fazem o que ele quer. [3] Pois quando os pagãos ouvem os oráculos de Deus em nossos lábios, eles se maravilham com sua beleza e grandeza. Mas em seguida, quando observam que nossos atos não são dignos das palavras que proferimos, eles passam da admiração para o escárnio, dizendo que se trata de um mito e uma ilusão. [4] Se, por exemplo, eles nos ouvem afirmar que Deus diz: "Que mérito vocês terão se amarem aos que os amam? Amem, porém, os seus inimigos, façam-lhes o bem" (Lc 6.32,35); quando eles observam que deixamos de amar não apenas aqueles que nos odeiam, mas até mesmo aqueles que nos amam, eles se riem de nós e escarnecem do Nome.

14 Assim, meus irmãos, fazendo a vontade de Deus nosso Pai, nós pertenceremos à primeira Igreja, a Igreja espiritual, que foi criada antes do sol e da lua. Mas se deixarmos de cumprir a vontade de Deus, a nós se aplicará aquela passagem da Escritura que diz: "Este templo, que leva o meu nome, tornou-se para vocês um covil de ladrões" (Jr 7.11). Assim, devemos então escolher pertencer à Igreja da vida para sermos salvos. [2] Não suponho que vocês não saibam que a Igreja viva é o corpo de Cristo. Pois a Escritura diz: "Deus criou o homem, homem e mulher os criou" (Gn 1.27). O homem é Cristo; a mulher é a Igreja. Além disso, a Bíblia e os apóstolos dizem que a Igreja não se limita ao presente, mas existiu desde o princípio. Pois era espiritual, assim como era o nosso Jesus, e tornou-se visível nos últimos dias para nos salvar. [3] De fato, a Igreja que era espiritual tornou-se visível no corpo de Cristo, e assim ele nos mostra que se alguém de nós a preservar no corpo e não a corromper, essa pessoa receberá em troca o Espírito Santo. Pois o corpo é o antítipo do espírito. Consequentemente, ninguém que tenha corrompido esse antítipo compartilhará a realidade. Então, irmãos, o significado disso é o seguinte: devemos preservar o corpo para que possamos compartilhar o espírito. [4] Ora, se dizemos que a Igreja é o corpo e Cristo é o espírito, então quem violenta o corpo violenta a Igreja. Essa pessoa não terá, portanto, participação no espírito, que é Cristo. [5] Esse corpo é capaz de compartilhar uma vida e imortalidade tão grandes porque o Espírito Santo mantém-se fiel a ele. Tampouco consegue alguém expressar ou dizer "o que Deus preparou" para os seus escolhidos (1Co 2.9).

15 O conselho que dei sobre a castidade não é, a meu ver, trivial; e se um homem agir de acordo com ele, não se arrependerá, mas salvará a si mesmo, bem como a mim que o aconselhei. Pois não é pequena a recompensa atribuída à conversão de uma alma errada que está se perdendo, de modo que ela possa se salvar. [2] Pois é deste modo que podemos recompensar ao Deus que nos criou: quando um fala e o outro escuta, e ambos agem com fé e amor. [3] Consequentemente, devemos permanecer leais a nossa fé e ser honestos e santos, de modo que possamos confiar e rogar a Deus, que diz: "No exato momento em que você está falando, eu direi: 'Veja, eu estou aqui'" (Is 58.9). [4] Certamente esse ditado é sinal de uma grande promessa; pois o Senhor diz de si mesmo que ele está mais disposto a dar do que nós a pedir. [5] Vamos, então, tomar nossa parte dessa grande bondade e não relutar na obtenção dessas grandes bênçãos. Pois esses ditados tanto contêm reservas de prazer para aqueles que se comportam de acordo com eles, como contêm a condenação daqueles que os ignoram.

16 Assim, irmãos, considerando que recebemos uma grande oportunidade de arrependimento, vamos aproveitar a ocasião para nos voltarmos para Deus que nos chamou, enquanto ainda temos aquele que nos aceita. [2] Pois se nós renunciarmos aos prazeres e controlarmos nossa alma evitando os desejos lascivos, participaremos da misericórdia de Jesus. [3] Entendam que "o dia" do juízo já está "a caminho como uma fornalha ardente, e os poderes do céu serão dissolvidos" e toda a terra será como chumbo derretendo-se em fogo (Ml 4.1; Is 34.4). Então o segredo dos homens e seus atos públicos serão mostrados às claras. [4] A caridade, então, como o arrependimento pelos pecados, é uma coisa boa. Mas o jejum é melhor que a oração, e a caridade melhor que as duas. "O amor perdoa muitíssimos pecados" (1Pe 4.8; cf. Pv 10.12), e a oração que brota de uma boa consciência resgata da morte. Abençoados são todos os que têm essas coisas em abundância, pois a caridade mitiga o pecado.

17 Vamos, então, nos arrepender de todo o coração, para que nenhum de nós se perca. Pois se recebemos o mandamento de fazer também isto — afastar os homens dos ídolos e instruí-los —, não é muito mais errado perecer a alma que já conhece a Deus? [2] Consequentemente, devemos ajudar uns aos outros e trazer de volta os fracos em bondade, para que todos possamos ser salvos;

e nos converter e admoestar mutuamente. [3] Não apenas neste momento, enquanto os presbíteros estão pregando para nós, devemos nos mostrar crentes e atenciosos; mas quando estamos em nossa casa, devemos ter em mente os mandamentos de Deus e não nos distrair por paixões mundanas. Pelo contrário, devemos nos esforçar para comparecer aqui mais vezes e avançar nos mandamentos do Senhor, de modo que "com uma mesma atitude uns para com os outros" possamos estar todos juntos para ganhar a vida (Rm 12.16). [4] Pois o Senhor disse: "Virei ajuntar todas as nações e línguas" (Is 66.18). Isso se refere ao dia de seu aparecimento, quando ele virá para nos redimir, cada um de acordo com seus atos. [5] E os descrentes verão sua glória e poder, e ficarão surpresos diante da soberania do mundo conferida a Jesus e dirão: "Ai de nós, pois tu de fato existias, e nós não reconhecemos isso nem cremos, e não obedecemos aos presbíteros que nos pregavam a salvação". E "o seu verme não morre, e o fogo não se apaga", e eles serão um espetáculo para toda carne (Is 66.24; cf. Mc 9.48). [6] Ele se refere ao dia do julgamento, quando os homens verão aqueles que em nosso meio eram ímpios e desvirtuaram os mandamentos de Jesus Cristo. [7] Mas os justos que praticaram o bem e pacientemente suportaram torturas e detestaram os prazeres da alma, quando virem aqueles que agiram de modo errado e negaram Jesus em palavras e obras sendo punidos com tormentos terríveis e fogo inextinguível, darão glória ao Deus dos céus e dirão: "Há esperança para aquele que serviu a Deus de todo o seu coração".

18 Consequentemente, nós também devemos pertencer às fileiras daqueles que dão graças a Deus e serviram a ele, e não às dos ímpios que são condenados. [2] Eu, de minha parte, sou um grande pecador e ainda não me livrei da tentação. Ainda estou cercado de ciladas do diabo, embora eu queira muito perseguir a retidão. Meu objetivo é conseguir pelo menos me aproximar dela, pois temo o julgamento futuro.

19 Assim, meus irmãos e irmãs, de acordo com a verdade de Deus estou lendo para vocês uma exortação pedindo-lhes que deem atenção ao que ali está escrito, a fim de que vocês se salvem juntamente com seu leitor. Como pagamento eu lhes imploro que se arrependam de todo o seu coração, entregando-se à salvação e à vida. Fazendo isso, nós estabeleceremos um objetivo para os jovens que desejam promover ativamente a causa da religião e da bondade de Deus. [2] Além disso, não devemos ser estúpidos a ponto de nos sentirmos ofendidos ou contrariados quando alguém nos admoesta e nos desvia da maldade para a retidão. Há ocasiões em que agimos mal sem ter consciência disso por causa da inconstância e da incredulidade de nosso coração, e o nosso entendimento é obscurecido por vãos desejos. [3] Vamos, então, fazer o que é certo para que finalmente possamos ser salvos. Abençoados são aqueles que observam essas ordens; embora sofram por um breve tempo neste mundo, eles colherão o fruto imortal da ressurreição. [4] Um homem religioso não deve ficar deprimido por sentir-se infeliz no presente. Um tempo de bênção o espera. Ele viverá de novo no céu com seus antepassados, e se rejubilará numa eternidade que não conhece a tristeza.

20 Mas vocês não precisam alimentar preocupações pelo fato de que vemos os maus na riqueza, enquanto os escravos de Deus estão em situações hostis. [2] Irmãos e irmãs, nós devemos ter fé. Estamos envolvidos numa competição do Deus vivo e estamos sendo treinados pela vida presente para conquistar os lauréis na vida futura. [3] Nenhum dos justos obteve a recompensa com rapidez, mas ele a aguarda. [4] Pois se Deus concedesse aos justos sua recompensa imediatamente, nosso treinamento se transformaria em comércio direto, e não em piedade, porque teríamos uma aparência de retidão quando estaríamos visando não a religião, mas o lucro. É por isso que o julgamento divino pune um espírito que não é justo e o oprime com cadeias. [5] Ao Deus único e invisível, o Pai da verdade, que nos enviou o Salvador e príncipe da imortalidade, por meio do qual ele também nos revelou a verdade e vida celestial — a ele seja a glória para todo o sempre. Amém.

As cartas de Inácio

A carta de Inácio, bispo de Antioquia, aos efésios

O texto

Cordiais saudações de pura alegria em Jesus Cristo da parte de Inácio, o "inspirado por Deus", à igreja de Éfeso na Ásia. Graças à plenitude de Deus Pai vocês foram agraciados com um grande número de cristãos e desde a eternidade estão predestinados a desfrutar de uma glória constante e imperecível. A fonte de sua unidade e eleição é o genuíno sofrimento pelo qual vocês passam pela vontade do Pai e de Jesus Cristo, nosso Deus. Por isso vocês merecem ser considerados felizes.

1 Recebemos piamente a sua igreja, que se afeiçoou por nós em virtude de sua natureza honesta, caracterizada como é por sua fé em Jesus Cristo, nosso Salvador, e pelo amor dele. Vocês são imitadores de Deus; e foi o sangue de Deus que mais uma vez motivou esse tipo de coisa que vocês fazem naturalmente e fizeram agora à perfeição. [2] Pois vocês foram totalmente solícitos em me visitar quando ouviram que eu estava sendo transferido como prisioneiro partindo da Síria por causa do nosso nome e esperança comuns. Eu espero, de fato, por meio de suas orações, ter a boa sorte de lutar com feras selvagens em Roma, para que agindo assim eu possa ser um verdadeiro discípulo. [3] Em nome de Deus, portanto, recebi sua numerosa congregação na pessoa de Onésimo, seu bispo neste mundo, um homem cujo amor vai além das palavras. Oro para que o amem no espírito de Jesus e sejam todos como ele. Bendito é aquele que permitiu que vocês tivessem um bispo assim. Vocês fizeram por merecer.

2 Agora, sobre meu colega escravo Burrhus, seu piedoso diácono, que foi copiosamente abençoado, eu desejo muito que ele fique comigo. Desse modo ele será causa de honra para vocês e seu bispo. Também Crocus, que honra a Deus e a vocês, e a quem recebi como um modelo de seu amor, me deixou completamente entusiasmado (Que o Pai de Jesus Cristo lhe conceda um conforto igual!), como também fizeram Onésimo, Bunthus, Euplus e Fronto. Neles vi e amei todos vocês. [2] Que eu sempre me alegre em relação a vocês, isto é, se eu merecer isso! É justo, então, atribuir toda a glória a Jesus Cristo, vendo que ele os glorificou. Assim, unidos em sua submissão, e obedecendo ao bispo e ao presbitério, vocês serão verdadeiros santos.

3 Não lhes dou ordens como se eu fosse alguém importante. Pois mesmo sendo um prisioneiro pelo Nome, eu ainda não atingi a perfeição cristã. Estou apenas começando a ser um discípulo; assim dirijo-me a vocês como meus colegas estudantes. Precisei de suas orientações na fé, no encorajamento e na paciência. [2] Mas, uma vez que o amor me proíbe calar em relação a vocês, apresso-me a estimulá-los a harmonizar suas ações com a mentalidade de Deus. Pois Jesus Cristo — vida da qual não podemos nos separar — é a mente do Pai, como também os bispos, nomeados pelo mundo inteiro, refletem a mente de Jesus Cristo.

4 Por isso vocês devem agir de acordo com a mente do bispo, como com certeza já fazem. Seu presbitério, na verdade, que merece seu nome e é uma honra para Deus, está intimamente vinculado ao bispo como as cordas presas a uma harpa. Motivo pelo qual seu acordo e amor harmonioso é um hino a Jesus Cristo. [2] Sim, cada um e todos juntos devem formar um coro, de modo que, em perfeita harmonia e afinados ao diapasão de Deus, possam cantar em uníssono para o Pai por meio de Jesus Cristo. Assim, ele os ouvirá e, por suas boas obras, reconhecerá que vocês são membros de seu Filho. Portanto, vocês precisam permanecer em irreprochável unidade se realmente quiserem ser membros de Deus para sempre.

5 Se num espaço de tempo tão breve eu pude me tornar tão íntimo de seu bispo — não me refiro a um modo natural, mas sim espiritual —, com muito mais razão eu me congratulo com vocês por ter com ele essa intimidade que a Igreja desfruta com Jesus Cristo, e Jesus Cristo com o Pai. É desse modo que a unidade e harmonia prevalecem em toda parte. [2] Não se enganem sobre isso. Se alguém não está dentro do santuário, falta-lhe o pão de Deus. E se a oração de um ou dois será de grande utilidade, tanto maior será a do bispo com toda a igreja. [3] Quem não participa de seu culto de adoração mostra-se arrogante pelo simples fato de tornar-se um cismático. Além disso, está escrito: "Deus se opõe aos orgulhosos" (Tg 4.6). Vamos, então, evitar sinceramente a oposição ao bispo para que possamos nos sujeitar a Deus.

6 Quanto mais se vir o bispo mantendo-se em silêncio, tanto mais se deve reverenciá-lo. Pois cada um dos que o chefe da casa manda executar suas tarefas deve ser recebido por nós como aquele que o mandou. Está claro, então, que devemos ver o bispo como o próprio Senhor. [2] De fato, Onésimo os elogiou muito por sua conduta piedosa, dizendo que todos vocês estão seguindo a verdade, sem fomentar nenhum sectarismo. Mais ainda, vocês não têm ouvidos para ninguém, exceto para o que alguém tenha a dizer verdadeiramente acerca de Jesus Cristo.

7 Alguns, de fato, têm o hábito perverso e enganoso de alardear o Nome por aí, enquanto se comportam de um modo indigno de Deus. Vocês devem evitá-los como feras selvagens. Pois eles são cães raivosos que mordem sorrateiramente. Vocês precisam estar prevenidos contra eles, pois é difícil sarar de sua mordida. [2] Só existe um médico — físico e mesmo assim espiritual, nascido mas não gerado, o Deus encarnado, a vida genuína no meio da morte, que brotou de Maria, bem como de Deus, primeiro sujeito ao sofrimento e depois acima dele — Jesus Cristo nosso Senhor.

8 Não permitam que ninguém os desencaminhe, como vocês estão de fato no bom caminho, sendo totalmente de Deus.

Pois quando não alimentam discórdias que possam atormentá-los, então vocês estão de fato seguindo no caminho de Deus. Um pobre sacrifício sou eu, mas me dedico a vocês, efésios — uma igreja para sempre famosa. [2] Gente carnal não pode agir espiritualmente, nem gente espiritual pode agir carnalmente, exatamente como a fé não pode agir como incredulidade, nem a incredulidade como fé. Mas até mesmo o que vocês fazem na carne fazem espiritualmente, porque tudo está sob o controle de Cristo.

9 Ouvi dizer que alguns estranhos os abordaram com ensinamentos perversos. Mas vocês não permitiram que os semeassem ali, fechando os ouvidos para impedir o acesso ao que eles estavam divulgando. Como pedras do templo de Deus, prontas para uma construção de Deus Pai, vocês foram içados por Jesus Cristo, como se fosse um guindaste (que é sua cruz!), enquanto a corda que usaram é o Espírito Santo. A fé os eleva, enquanto o amor é seu modo de subir até Deus.

[2] Vocês estão todos participando de uma procissão religiosa, carregando com vocês o seu Deus, o santuário, Cristo, e seus objetos sagrados, bem vestidos dos pés à cabeça com os mandamentos de Jesus Cristo. Eu também estou desfrutando de tudo isso, porque posso falar com vocês numa carta e felicitá-los por terem mudado seu antigo estilo de vida fixando seu amor apenas em Deus.

10 Orem continuamente também pelos outros, pois há uma possibilidade de eles se converterem e chegarem a Deus. Permitam que eles aprendam de vocês pelo menos por suas boas ações. [2] Retribuam o mau humor deles com gentilezas; a ostentação com humildade; o insulto com oração. Diante do erro deles, permaneçam firmes na fé. Retribuam a violência deles com brandura e não se concentrem em obter a devolução do que lhes foi tirado. [3] Com nossa paciência vamos mostrar que somos irmãos deles, dedicados a imitar o Senhor, vendo qual de nós pode ser o que é mais injustiçado, roubado e desprezado. Assim, não se encontrarão entre vocês ervas daninhas do diabo; mas, mantendo-se totalmente puros e comedidos, permanecerão unidos a Jesus Cristo em corpo e alma.

11 Os últimos dias chegaram. Vamos, então, ser humildes e viver no temor da paciência de Deus, para que ela não se torne nossa condenação. Vamos temer a ira futura ou então valorizar a graça que temos: ou isto ou aquilo. Só que nossa sina deve ser uma vida autêntica em Jesus Cristo. [2] Não vamos permitir que coisa alguma prenda nosso olhar, a não ser ele, por quem carrego comigo estas correntes — minhas pérolas espirituais! Por meio delas eu quero ressurgir dos mortos mediante suas orações. Que eu possa sempre compartilhá-las, para poder ser incluído entre os efésios cristãos que, pelo poder de Jesus Cristo, estiveram sempre unânimes com os próprios apóstolos.

12 E me dou conta de quem eu sou e para quem estou escrevendo. Sou um prisioneiro; vocês foram libertados. Eu corro perigo; vocês estão seguros. [2] Vocês são a rota por onde passam as vítimas de Deus. Vocês foram iniciados nos mistérios [cristãos] com Paulo, um verdadeiro santo e mártir, que merece ser felicitado. Quando vier a me encontrar com Deus, que eu siga os passos dele, que em todas as suas cartas menciona a união de vocês com Cristo Jesus.

13 Tentem se reunir com maior frequência para celebrar a eucaristia de Deus e louvá-lo. Pois quando vocês se reúnem mais vezes os poderes de Satanás são derrotados, e sua capacidade de destruição é anulada pela unanimidade de sua fé. [2] Não existe nada melhor que a paz, pela qual todos os conflitos no céu e na terra são resolvidos.

14 Vocês não vão ignorar nada disso se tiverem uma fé total em Jesus Cristo e o amarem. Esse é o começo e o fim da vida: a fé é o começo e o amor é o fim. E quando esses dois sentimentos se juntam vocês têm Deus, e todas as outras coisas que têm a ver com a verdadeira bondade dependem deles. [2] Ninguém que professa a fé cai em pecado, tampouco nutre o ódio quem aprendeu a amar. "Uma árvore é conhecida por seu fruto" (Mt 12.33). De modo semelhante, aqueles que professam serem de Cristo são reconhecidos por suas ações. Pois o que importa não é um ato momentâneo de profissão, mas a constante motivação pela fé.

15 É melhor manter-se calado e ser autêntico do que tagarelar e ser falso. Ensinar é uma coisa boa, se o professor pratica o que prega. Houve um Mestre assim, que "falou e tudo se fez" (Sl 33.9); e o que ele fez em silêncio é digno do Pai. [2] Quem realmente captou o que Jesus disse sabe apreciar o silêncio dele. Assim, ele será perfeito: suas palavras significarão ação, e seu próprio silêncio revelará seu caráter.

[3] O Senhor nada ignora. Para ele até os segredos são acessíveis. Vamos, então, fazer tudo como se ele estivesse morando em nós. Assim, seremos seu templo, e ele estará dentro de nós como nosso Deus — como de fato é. Isso ficará claro para nós exatamente na medida em que o amarmos perfeitamente.

16 Não se iludam, meus irmãos: os adúlteros não herdarão o reino de Deus. Se, então, aqueles que agem sensualmente sofrem a morte, com muito mais motivo devem sofrê-la aqueles que, com ensinamentos perversos, corrompem a crença em Deus pela qual Jesus Cristo foi crucificado. Essa desprezível criatura irá para o fogo inextinguível juntamente com quem lhe dá ouvidos.

17 A razão pela qual o Senhor permitiu que unguento fosse derramado sobre sua cabeça foi para que ele pudesse passar para a Igreja o aroma da incorrupção. Não sejam ungidos com o mau cheiro do ensinamento do príncipe deste mundo, para evitar que ele os prenda e lhes roube a vida por vir. [2] Por que não recuperamos a sensatez mediante a aceitação do conhecimento de Deus, que é Jesus Cristo? Por que perecemos estupidamente, ignorando a dádiva que o Senhor de fato nos enviou?

18 Estou entregando minha vida (não que ela seja muito valiosa!) pela cruz, que os descrentes veem como um motivo de escândalo, mas que para nós significa a salvação e a vida eterna. "Onde está o sábio? Onde está o questionador desta era?" (1Co 1.20). Onde estão os motivos de orgulho dos que são supostamente inteligentes? [2] Pois nosso Deus, Jesus Cristo, foi concebido por Maria, brotando no plano de Deus tanto da semente de Davi como do Espírito Santo. Ele nasceu e foi batizado para que por sua Paixão pudesse santificar a água.

19 Ora, a virgindade de Maria e seu parto não foram percebidos pelo príncipe deste mundo, como aconteceu com a morte do Senhor — esses três segredos clamando por divulgação, mas operados no silêncio de Deus. [2] Como, então, foram eles revelados ao mundo? Uma estrela surgiu no céu, mais brilhante que todas as outras. Sua luz era indescritível, e sua novidade causou espanto. As outras estrelas, juntamente com o sol e a lua, formaram um círculo ao redor dela; no entanto, ela superava todas em brilho, e houve confusão sobre a origem dessa novidade única. [3] Em consequência disso, toda magia perdeu seu poder e todo sortilégio cessou. A ignorância foi eliminada, e o antigo reino [do mal] foi totalmente destruído, pois Deus estava revelando a si mesmo como homem, para trazer a novidade da vida eterna. O que Deus havia preparado estava agora começando. Daí o fato de tudo estar em confusão porque a destruição da morte estava sendo controlada.

20 Se Jesus Cristo me permitir, em resposta às orações de vocês, e se for sua vontade, eu lhes darei mais explicações sobre o plano [de Deus] numa segunda carta que pretendo escrever. Apenas mencionei esse plano referindo-me ao novo homem Jesus Cristo, mostrando como ele pressupõe que se creia nele e a ele se ame, e implica sua Paixão e ressurreição. [2] Farei isso especialmente se o Senhor me mostrar que vocês estão todos, um a um, se reunindo sob a influência da graça que devemos ao Nome, numa só fé e união com Cristo, que, "como homem, era descendente de Davi" (Rm 1.3) e é Filho do homem e Filho de Deus. Nessas reuniões vocês devem ouvir atentamente o bispo e o presbitério, e partir o pão, que é o remédio da imortalidade e o antídoto que afasta a morte, mas confere continuamente a vida na união com Jesus Cristo.

21 Estou oferecendo minha vida por vocês e por aqueles que vocês, para honra de Deus, enviaram a Esmirna. Eu lhes escrevo de lá, agradecendo ao Senhor e enviando um abraço a Policarpo e também a vocês, meus queridos. Lembrem-se de mim, como Jesus se lembra de vocês. [2] Orem pela igreja da Síria, de onde estou sendo enviado para Roma como prisioneiro. Eu sou o menor dos fiéis de lá — no entanto, tive o privilégio de ser útil para a honra de Deus. Passem bem, em Deus, o Pai, e em Jesus Cristo, nossa esperança comum.

A carta de Inácio, bispo de Antioquia, aos magnésios

O TEXTO

Os melhores votos em Deus Pai e em Jesus Cristo da parte de Inácio, o "inspirado por Deus", à igreja de Magnésia às margens do Meandro. Minhas saudações em Cristo Jesus, nosso Salvador, à igreja que, em virtude de sua união com ele, é abençoada com a proteção de Deus Pai.

1 Muito me alegrou ouvir falar de seu amor piedoso e bem disciplinado. Por isso mesmo, impelido pela fé em Jesus Cristo, decidi lhes escrever. [2] Privilegiado como sou por ter esse piedoso nome [de cristão], canto os louvores das igrejas, mesmo enquanto sou prisioneiro. Quero que elas confessem que Jesus Cristo, nossa vida perpétua, uniu o corpo e o espírito. Quero que elas também unam sua fé com o amor — nada existe melhor que isso. Acima de tudo, quero que elas confessem a união de Jesus com o Pai. Se, com o apoio dele, nós suportarmos todo o rancor do príncipe deste mundo e conseguirmos escapar, chegaremos a Deus.

2 Sim, tive a grande sorte de me encontrar com vocês, nas pessoas de seu bispo Damas (ele é uma honra para Deus!) e de seus dignos presbíteros, Basso e Apolônio, e de meu colega de escravidão, o diácono Zótio. Muito me alegrei com ele, por sua submissão ao bispo como à graça de Deus, e ao presbitério como à lei de Jesus Cristo.

3 Ora, não é justo abusar da juventude de seu bispo. Vocês devem respeitá-lo totalmente como respeitam a autoridade de Deus Pai. Seus santos presbíteros, eu sei, não se aproveitaram injustamente de sua aparente juventude, mas em sua piedosa sabedoria submeteram-se a ele — melhor dizendo, mais que a ele submeteram-se ao Pai de Jesus Cristo, que é o bispo de todos. [2] Portanto, pela honra daquele que nos amou, nós devemos obedecer sem dissimulação, pois o verdadeiro problema não é um homem enganar um bispo que pode ver, mas defraudar aquele que é invisível. Nesse caso ele deve ajustar suas contas não com um ser humano, mas com Deus que conhece seus segredos.

4 Devemos não apenas ser chamados de cristãos, mas também ser cristãos. É a mesma coisa que chamar um homem de bispo e depois agir desrespeitando-o em tudo. Tais pessoas me dão a impressão de estarem agindo contra sua própria consciência, uma vez que não comparecem aos serviços autorizados e válidos.

5 Com certeza, todas as coisas estão chegando a um fim, e nós estamos diante de uma escolha — morte ou vida —, e cada um irá "para o lugar que lhe era devido" (At 1.25). Poderíamos igualmente dizer que há duas moedas, uma de Deus, a outra do mundo. Cada uma traz sua própria estampa — os descrentes, a estampa do mundo; os crentes, que são impulsionados pelo amor, a estampa de Deus Pai por meio de Jesus Cristo. E se nós não estamos dispostos a morrer unidos na Paixão [de Cristo], não temos em nós sua vida.

6 Eu acreditei, então, que vi toda a congregação de vocês naqueles que mencionei, e amei-os todos. Por isso os estimulo a buscar fazer tudo em piedosa harmonia. Que o bispo presida no lugar de Deus; que os presbíteros tomem o lugar do conselho apostólico; que os diáconos (meus especialmente preferidos!) sejam encarregados do ministério de Jesus Cristo, que estava com o Pai desde a eternidade e no fim [do mundo] apareceu. [2] Tendo, portanto, a mesma atitude de Deus, vocês devem todos respeitar uns aos outros no espírito de Jesus Cristo. Não permitam que coisa alguma os divida, mas estejam de acordo com o bispo e seus líderes. Assim vocês serão um exemplo e uma lição de incorruptibilidade.

7 Portanto, como o Senhor nada fez sem o Pai (seja pessoalmente, seja por intermédio dos apóstolos) porque ele estava em sintonia com ele, assim também vocês nada devem fazer sem o bispo e os presbíteros. Não tentem, além disso, convencer-se de que qualquer coisa que façam por conta própria é recomendável. Somente aquilo que fizerem juntos é correto. Consequentemente, vocês devem ter uma única oração, uma única súplica, uma única mentalidade, uma única esperança, dominados pelo amor e por uma alegria isenta de manchas — o que significa que vocês devem ter Jesus Cristo. Não é possível que tenham coisa alguma melhor que isso. [2] Acorram — todos vocês — para um único templo de Deus, por assim dizer, para um único altar, para um único Jesus Cristo, que proveio de um único Pai, embora sempre permanecendo com ele, e para ele voltou.

8 Não se deixem enganar por visões falsas ou histórias obsoletas que nada significam. Pois se ainda continuarmos obedecendo ao judaísmo, admitiremos que nunca recebemos a graça. [2] Os próprios profetas divinos seguiram o estilo de vida de Jesus. É por isso que foram perseguidos, porque eram inspirados por sua graça para convencer os descrentes que Deus é um só, e ele se revelou em seu Filho Jesus Cristo, que é sua Palavra proveniente do silêncio, e que obteve total aprovação daquele que o enviou.

9 Aqueles, então, que viviam de acordo com práticas antigas chegaram a uma nova esperança. Deixaram de observar o sábado e viveram de acordo com o Dia do Senhor, dia no qual nossa vida, bem como a deles, brilhou, graças a ele e a sua morte, embora alguns neguem isso. Através de seu mistério recebemos nossa fé, e por causa dela mantemos nossa posição para nos tornarmos discípulos de Jesus Cristo, nosso único mestre. [2] Como, então, podemos viver sem ele quando até os profetas, que eram seus discípulos pelo Espírito, o aguardaram como seu mestre? Assim, aquele que acertadamente eles esperavam os ressuscitou dos mortos quando veio [a este mundo].

10 Não devemos, portanto, ser impermeáveis a sua bondade. De fato, se ele agisse como nós, estaríamos imediatamente arruinados. Consequentemente, agora que somos seus discípulos devemos aprender a viver como cristãos — com certeza, quem tem qualquer outro nome não pertence a Deus. [2] Livrem-se, então, do fermento ruim — ele ficou rançoso e azedo — e transformem-se num fermento novo, isto é, em Jesus Cristo. Sejam salgados nele, de modo que nenhum de vocês se estrague, pois seu cheiro os denunciará. [3] É uma monstruosidade ter a boca cheia de Jesus Cristo e viver como um judeu. Pois o cristianismo não creu no judaísmo, mas o judaísmo no cristianismo. Gente de todas as línguas passou a crer nisso, e assim se unificaram em Deus.

11 Não escrevo nesses termos, amados, por ter ouvido que alguns de vocês são assim. Com perfeita consciência de minha posição, quero antes preveni-los de antemão, para que não sejam vítimas de ideias estúpidas, e os exorto a serem totalmente convencidos do nascimento, da Paixão e da ressurreição de Jesus, fatos que ocorreram enquanto Pôncio Pilatos era governador. Sim, tudo isso de fato e com certeza foi feito por Jesus Cristo, nossa esperança. Deus não permita que algum de vocês venha a perdê-la!

12 Quero sempre alegrar-me muitíssimo em relação a vocês, se é que de fato mereço isso. Pois embora eu seja um prisioneiro, não posso comparar-me a qualquer de vocês que está em liberdade. Percebo que não são presunçosos, pois têm Jesus Cristo em sua alma. Mais ainda, sei que se sentem constrangidos quando os elogio, exatamente como diz a Escritura: "O homem justo é seu próprio acusador" (cit. n.i.).

13 Façam um verdadeiro esforço, então, para se aterem firmemente às ordens do Senhor e dos apóstolos, de modo que em qualquer coisa que vocês façam sejam bem-sucedidos em corpo e alma, na fé e no amor, no Filho, Pai e Espírito Santo, do início ao fim, junto com seu distinto bispo, seu presbitério (aquela grinalda elegantemente trançada!) e seus piedosos diáconos. [2] Submetam-se ao bispo e uns aos outros como fez Jesus Cristo em relação ao Pai e ao Espírito em seus dias vividos em corpo humano, e como os apóstolos se submeteram a Cristo, ao Pai e ao Espírito Santo. Desse modo, conseguiremos completa unidade.

14 Percebo que vocês estão repletos de Deus. Por isso, fui breve em meus conselhos. Lembrem-se de mim em suas orações, para que eu possa chegar a Deus. Lembrem-se também da igreja da Síria — não mereço ser considerado membro dela. Com certeza, preciso de suas unificadas e santas orações e de seu amor, para que a igreja da Síria possa ter o privilégio de ser revigorada por meio de sua igreja.

15 O efésios os saúdam de Esmirna, de onde lhes escrevo. Como vocês, eles vieram até aqui para a glória de Deus e me reanimaram muito, como também fez Policarpo, o bispo de Esmirna. As outras igrejas também lhes mandam saudações em honra de Jesus Cristo. Passem bem — mantenham-se unidos com Deus, pois vocês possuem espírito inquebrantável, que é o que Jesus tinha.

A carta de Inácio, bispo de Antioquia, aos tralianos

O TEXTO

Cordiais saudações no estilo apostólico e votos de felicidade da parte de Inácio, o "inspirado por Deus", à santa igreja de Trália na Ásia. Vocês são caros a Deus, o Pai de Jesus Cristo, sendo eleitos e uma verdadeira honra para ele, estando completamente em paz em razão da Paixão de Jesus Cristo, que é nossa esperança, porque ressuscitaremos na união com ele.

1 Tenho plena consciência do caráter que vocês têm — acima de censuras e firmes nas dificuldades. Ele não é simplesmente fingido, mas brota naturalmente em vocês, como me deu a entender Políbio, seu bispo. Pela vontade de Deus e a de Jesus Cristo, ele veio ao meu encontro em Esmirna, e me felicitou com uma cordialidade tão grande por eu ser um prisioneiro de Jesus Cristo que nele vi toda a congregação de vocês. [2] Recebi com prazer, então, sua piedosa boa vontade, que chegou até mim por meio dele, e eu me senti grato por ver que vocês, segundo soube, estão seguindo a Deus.

2 Pois quando obedecem ao bispo como se o fizessem ao próprio Jesus Cristo, vocês estão (a meu ver) vivendo não de uma maneira meramente humana, mas segundo o modelo de Jesus Cristo, que, por nossa causa, aceitou a morte para que acreditem nela e assim evitem que vocês mesmos morram. [2] É essencial, portanto, que, exatamente como estão fazendo, de modo algum vocês ajam sem o bispo. Pelo contrário, submetam-se até mesmo ao presbitério como aos apóstolos de Jesus Cristo. Ele é nossa esperança, e se nós vivermos agora unidos com ele, conquistaremos a vida eterna. Também aqueles que são diáconos dos "mistérios" de Jesus Cristo devem dar satisfação completa a todos. Pois eles não servem simplesmente comida e bebida, mas administram a Igreja de Deus. Eles devem, portanto, evitar expor-se à crítica explícita, como se fugissem do fogo.

3 De modo semelhante, todos devem mostrar respeito pelos diáconos. Eles representam Jesus Cristo, exatamente como o bispo desempenha o papel do Pai e os presbíteros são como o conselho de Deus e uma associação apostólica. Sem eles, vocês não podem ter uma igreja. [2] Tenho certeza de que vocês concordam nisso comigo. Recebi, na pessoa de seu bispo, o próprio modelo de seu amor, e eu o tenho agora mesmo aqui comigo. Sua paciência é uma grande lição, enquanto sua gentileza é extremamente eficaz. Imagino que até mesmo os ímpios o respeitam. [3] Embora pudesse ser muito mais incisivo neste ponto, eu os poupo por amor. Visto também que sou um condenado, não julguei que estivesse na posição de lhes dar ordens como um apóstolo.

4 Deus me concedeu muitas inspirações, mas não vou ultrapassar os limites, para que a ostentação não venha a ser minha ruína. Pois aquilo de que mais preciso neste ponto é estar alerta e não dar ouvidos a bajuladores. Os que me contam coisas, esses são o meu açoite. [2] Com certeza, estou animado a ser mártir, mas não sei se mereço isso. Muitas pessoas não fazem nenhuma ideia de minha impetuosa ambição. Todavia, isso significa uma luta ainda maior para mim. O que eu necessito é ter a mansidão que derruba o príncipe deste mundo.

5 Será que sou incapaz de lhes escrever sobre coisas celestiais? De fato, não; mas receio ofendê-los, vendo que são apenas bebês. Devem me perdoar, mas provavelmente vocês não conseguiriam engolir o que tenho a dizer e se engasgariam. [2] Até mesmo no meu caso, não é por eu ser um prisioneiro e saber captar mistérios celestiais, as categorias dos anjos, a formação dos principados, coisas visíveis e invisíveis — não é por causa de tudo isso que sou um genuíno discípulo por enquanto. Ficam faltando muitas coisas, se é que não seremos abandonados por Deus.

6 Exorto-os, portanto — não eu, mas o amor de Jesus Cristo — a ingerir apenas alimento cristão. Evitem pratos exóticos, e com isso me refiro a heresias. [2] Pois certas pessoas misturam Jesus Cristo com os ensinamentos delas somente para, com falsos pretextos, conquistar sua confiança. É como se estivessem lhes ministrando um veneno letal misturado com mel e vinho, e o resultado é que a vítima inocente o aceita de bom grado e bebe a própria morte com fatal prazer.

7 Fiquem alertas, então, contra essa gente. Isso vocês conseguirão não se envaidecendo e mantendo-se muito próximos de nosso Deus, Jesus Cristo, e do bispo e dos preceitos dos apóstolos. [2] Dentro do santuário o homem é puro; fora dele é impuro. Isso significa que quem fizer alguma coisa sem o bispo, o presbitério e os diáconos, não tem uma consciência limpa.

8 Não é por ter ouvido alguma coisa desse gênero a respeito de vocês que escrevo nestes termos. Não, em meu amor por vocês estou advertindo-os de antemão, pois antevejo as ciladas do diabo. Recuperem, então, sua docilidade, e pela fé (que é o corpo do Senhor) e pelo amor (que é o sangue de Cristo) tornem-se novas criaturas. [2] Que nenhum de vocês alimente sentimento algum contra seu próximo. Não deem aos pagãos oportunidades pelas quais o povo de Deus venha a ser ridicularizado pela estupidez de alguns. Pois "ai daquele cuja tolice é causa de ridicularização em público de meu nome" (cit. n.i.).

9 Sendo assim, não deem ouvidos a qualquer conversa que ignore Jesus Cristo, da linhagem de Davi, filho de Maria; que realmente nasceu, comeu e bebeu; foi perseguido sob Pôncio Pilatos; foi crucificado e morreu, à luz do céu e da terra e do inferno. [2] Ele foi de fato ressuscitado dentre os mortos, pois seu Pai o ressuscitou, exatamente como seu Pai ressuscitará a nós que cremos nele, por meio de Cristo Jesus, sem o qual não temos nenhuma vida genuína.

10 E se, como dizem alguns ímpios (quero dizer descrentes), o padecimento dele foi uma farsa (na verdade, eles é que são uma farsa!), por que, nesse caso, eu estou preso? Por que desejo lutar com feras selvagens? Nesse caso, vou morrer em vão. Sim, e então eu também estou denegrindo o Senhor!

11 Fujam, então, desses ramos perversos que produzem um fruto mortífero. Quem provar dele, tem morte súbita. Esses ramos não fazem parte da plantação do Pai. [2] Pois se fizessem, eles se mostrariam como ramos da cruz e produziriam um fruto imortal. É por meio da cruz, pelo sofrimento dele, que ele convoca vocês que são seus membros. Uma cabeça não pode nascer sem os membros, pois Deus representa unidade. É a natureza dele.

12 De Esmirna lhes mando saudações, e nisso se juntam a mim as igrejas de Deus que estão aqui comigo. Elas me animaram completamente — sim, por inteiro. [2] Minhas próprias correntes que carrego comigo por amor a Jesus Cristo, em meu desejo de chegar a Deus, os exortam: "Permaneçam unidos e orem uns pelos outros!".

É justo que cada um de vocês, de modo especial os presbíteros, encorajem o bispo, em honra do Pai, de Jesus Cristo e dos apóstolos. [3] Por amor, quero que me escutem, para que minha carta não deponha contra vocês. Mais ainda, orem por mim. Pela misericórdia de Deus, eu preciso do amor de vocês para fazer por merecer o destino que almejo, e não me revelar um "reprovado" (1Co 9.27).

13 Os esmirniotas e os efésios lhes enviam suas afetuosas saudações. Lembrem-se da igreja da Síria em suas orações. Não sou digno de ser membro dela: sou o menor de seus integrantes. Passem bem em Jesus Cristo. Submetam-se ao bispo como à lei [de Deus], e também ao presbitério. Todos vocês, amem-se uns aos outros com um coração indiviso. [2] Minha vida é oferecida por vocês, não apenas agora, mas especialmente quando eu chegar a Deus. Ainda corro perigo. Mas o Pai é fiel: ele atenderá a minha oração e a de vocês por causa de Jesus Cristo. Que sob a influência dele vocês possam se mostrar impecáveis.

A carta de Inácio, bispo de Antioquia, aos romanos

O TEXTO

Saudações em Jesus Cristo, o Filho do Pai, da parte de Inácio, o "inspirado por Deus", à igreja que está encarregada das atividades nas instalações de Roma e que o Pai Supremo e Jesus Cristo, seu único Filho, esplendidamente envolveram em misericórdia e amor. Vocês receberam a luz tanto pela vontade daquele que determinou tudo o que existe quanto pela virtude de sua crença em Jesus Cristo, nosso Deus, e por seu amor por ele. Vocês honram a Deus: merecem a fama que têm e devem ser felicitados por isso. Vocês merecem louvor e sucesso e têm o privilégio de não apresentarem nenhum defeito. Sim, vocês ocupam o primeiro lugar em amor, sendo leais à lei de Cristo e marcados com o nome do Pai. A vocês, portanto, as mais sinceras saudações em Jesus Cristo, nosso Deus, pois vocês se mantêm fiéis a todos os seus mandamentos — observando não apenas a letra deles, mas também o espírito —, estando permanentemente repletos da graça de Deus e purificados de todas as manchas que não condizem com ela.

1 Uma vez que Deus ouviu minha oração pedindo para vê-los, gente piedosa, eu continuei pedindo mais. Explico: é como prisioneiro por Jesus Cristo que espero saudá-los, se a vontade [de Deus] for de fato que eu seja digno de enfrentar meu fim. As coisas se encaminham para um bom começo. Que eu possa ter a boa sorte de enfrentar meu destino sem interferências! O que temo é a generosidade de vocês, que pode se revelar prejudicial para mim. Pois vocês podem facilmente fazer o que quiserem, ao passo que para mim é difícil chegar a Deus, a menos que vocês me deixem em paz. [2] Não quero que agradem aos homens, mas que agradem a Deus, exatamente como vêm fazendo. Pois eu nunca mais terei uma oportunidade como esta de chegar a Deus, nem vocês, se ficarem calados, terão maior oportunidade de obter crédito por um ato extremamente nobre. Pois se ficarem calados e me deixarem em paz, as pessoas verão em mim a Palavra de Deus. Mas se se mostrarem preocupados com meu corpo, eu serei, pelo contrário, um ruído sem sentido.

2 Permitam-me ser apenas um sacrifício para Deus enquanto há um altar já preparado. Depois vocês podem se organizar num coro e cantar louvores ao Pai em Jesus Cristo por Deus ter concedido ao bispo da Síria o privilégio de atingir o ocaso depois de ele o ter chamado desde o seu alvorecer. É uma coisa grandiosa para a minha vida ter seu ocaso no mundo e, para mim, estar a caminho de Deus, de modo que eu possa ressurgir na presença dele.

3 Vocês nunca invejaram ninguém. Vocês ensinaram aos outros. Assim, quero que comprovem as lições que os mandaram aprender. [2] Simplesmente orem para que eu possa ter a força física e espiritual de modo que possa não apenas falar [sobre o martírio], mas realmente desejá-lo. Não quero meramente ser chamado de cristão, mas quero de fato ser um cristão. Sim, se eu me mostrar cristão, então posso ter esse nome. Então, também só serei um cristão convincente quando o mundo já não me enxergar. [3] Nada do que vocês podem ver tem valor real. De fato, nosso Deus Jesus Cristo revelou-se de modo mais claro ao voltar para o Pai. A grandeza do cristianismo está em ele ser odiado pelo mundo, não em ser convincente para o mundo.

4 Estou me correspondendo com todas as igrejas e pedindo-lhes que entendam que vou morrer deliberadamente por Deus — isto é, se vocês não interferirem. Eu lhes suplico, não me façam uma gentileza inoportuna. Deixem-me ser alimento de feras selvagens — é assim que posso chegar a Deus. Sou trigo de Deus e vou ser triturado pelos dentes de feras selvagens para ser transformado em pão puro para Cristo. [2] Eu preferiria que vocês atiçassem as feras para que elas possam ser meu túmulo e para que não sobre nem um resquício de meu corpo. Assim, quando eu houver adormecido, não serei mais um fardo para ninguém. Então serei um verdadeiro discípulo de Jesus Cristo quando o mundo não mais ver meu corpo. Orem a Cristo por mim a fim de que por esse meio eu possa me tornar um sacrifício para Deus. [3] Não lhes dou ordens como Pedro e Paulo. Eles eram apóstolos: eu sou um condenado. Eles estavam em liberdade: eu ainda sou um escravo. Mas se eu padecer, serei emancipado por Jesus Cristo; e, unido a ele, ressuscitarei para a liberdade. Mesmo agora, como prisioneiro, estou aprendendo a renunciar a meus desejos pessoais.

5 Desde a Síria, ao longo de todo o caminho a Roma, venho lutando com feras selvagens, na terra e no mar, de noite e de dia, atado como estou a dez leopardos (refiro-me a um destacamento de soldados), que só vão piorando à medida que a gente os trata melhor. Mas pelas injustiças deles estou me tornando um discípulo melhor, "embora não por esse motivo eu seja justificado" (1Co 4.4). [2] Que emoção terei diante das feras selvagens que estão preparadas para mim! Espero que acabem logo comigo. Vou aliciá-las para que me devorem logo e não fiquem à distância, como às vezes acontece, amedrontadas. E se elas se mostrarem relutantes, eu as provocarei. [3] Perdoem-me — eu sei o que é bom para mim. Este é o momento em que eu estou começando a ser um discípulo. Que nada visível ou invisível me impeça de percorrer meu caminho para Jesus Cristo. Que venham o fogo, a cruz, a luta com feras selvagens, o arrancamento de ossos, a laceração de membros, a trituração de meu corpo inteiro, as cruéis torturas do diabo — só me deixem chegar até Jesus Cristo!

6 De nada me adiantarão os amplos confins da terra nem os reinos deste mundo. Prefiro morrer e chegar até Jesus Cristo a reinar sobre o mundo inteiro. Ele é quem estou buscando — aquele que morreu por nós. Ele é quem quero — aquele que ressuscitou por nós. [2] Estou provando as dores do parto.

Compreendam meus sentimentos, meus irmãos. Não me atrapalhem na conquista da vida; não desejem minha morte. Não devolvam ao mundo alguém que quer ser de Deus; não o iludam com coisas materiais. Permitam-me ter acesso à plenitude da luz, e a qualidade de homem em mim haverá. [3] Permitam-me imitar a Paixão de meu Deus. Se alguém o tem dentro de si, que avalie o que ardentemente desejo, e compreenda meus sentimentos e perceba pelo que estou passando.

7 O príncipe deste mundo quer me sequestrar e perverter meu piedoso propósito. Ninguém dentre vocês, então, que estiver lá presente, deve instigá-lo. Antes, fiquem do meu lado — isto é, do lado de Deus. Não falem de Jesus Cristo fixando o coração nas coisas deste mundo. [2] Não alimentem nenhuma inveja. Se, quando eu chegar, fizer um pedido diferente, não me deem atenção. Façam antes o que estou lhes escrevendo agora. Pois, embora vivo, é com um amor ardente pela morte que lhes escrevo. Meu desejo foi crucificado e não arde em mim nenhuma paixão por coisas materiais. Há em mim uma água viva, que fala e diz dentro de mim: "Venha para o Pai". [3] Eu não tenho prazer nenhum no alimento corruptível ou nas iguarias finas desta vida. Não me dão prazer nenhum os corruptíveis elementos deste mundo ou as delícias desta vida. O que eu quero é o pão de Deus, que é o corpo de Cristo, que veio da linhagem de Davi, e como bebida quero seu sangue: um imortal banquete de amor de verdade!

8 Já não quero viver num plano humano. E assim será, se vocês assim quiserem. Queiram isso, para que vocês sejam queridos! Apesar da brevidade de minha carta, confiem em meu pedido. Sim, Jesus Cristo esclarecerá tudo para vocês e lhes fará ver que estou realmente falando sério. Ele é a boca inocente pela qual o Pai falou verdadeiramente. [2] Orem por mim para que eu atinja meu objetivo. Eu lhes escrevi motivado não pela paixão humana, mas pela vontade de Deus. Se eu for martirizado, será porque vocês me ajudaram. Se eu for rejeitado, será porque vocês me odiaram.

9 Lembrem-se da igreja da Síria em suas orações. Em meu lugar eles têm a Deus como seu pastor. Jesus Cristo sozinho cuidará deles — ele, e o amor de vocês. [2] Enrubesço a ser incluído entre eles, pois não mereço isso, sendo o menor deles e um acréscimo tardio. No entanto, pela misericórdia dele, serei alguma coisa, isto é, se chegar a Deus. [3] Saúdo-os de coração; e as igrejas que me acolheram, não como um transeunte casual, mas no nome de Jesus Cristo, enviam-lhe seu amor. De fato, até aqueles que não estavam naturalmente em minha rota foram adiante para preparar-me a recepção em diferentes cidades.

10 Estou lhes enviando esta carta de Esmirna por meio dos louváveis efésios. Comigo, juntamente com muitos outros, está Crocus — que me é muito caro. [2] Confio que vocês tenham tido alguma notícia sobre aqueles que me precederam indo da Síria para Roma visando a glória de Deus. Digam-lhes que estou quase chegando lá. Eles todos honram a Deus e a vocês; vocês devem dar-lhes toda assistência. [3] Escrevo-lhes isto no dia 24 de agosto. Passem bem e mantenham-se firmes até o fim com a paciência de Jesus Cristo.

A carta de Inácio, bispo de Antioquia, aos filadélfios

O TEXTO

Saudações no sangue de Jesus Cristo da parte de Inácio, o "inspirado por Deus", à igreja de Deus Pai e do Senhor Jesus Cristo, que está sediada em Filadélfia, na Ásia — alvo da misericórdia divina e firmemente entrelaçada em piedosa unidade. Coube a vocês uma profunda e duradoura alegria na Paixão de nosso Senhor; e por sua abundante misericórdia vocês estão perfeitamente convencidos da ressurreição dele. Vocês são a própria personificação da eterna e perpétua alegria. Isso é especialmente verdadeiro se estiverem em harmonia com o bispo, e com os presbíteros e diáconos, que estão do lado dele e foram nomeados pela vontade de Jesus Cristo. Por seu Espírito Santo e de acordo com sua própria vontade ele validou a nomeação deles.

1 Percebo muito bem que o bispo de vocês não deve seu ministério a diáconos que resistiram ao bispo, a seus próprios esforços ou aos homens. Tampouco é por sua vaidade que ele ocupa o cargo que promove o bem comum. Pelo contrário, ele o deve ao amor de Deus Pai e ao Senhor Jesus Cristo. Fiquei impressionado com seu estilo encantador. [2] Sendo taciturno, ele consegue fazer mais do que os tagarelas. Pois ele está sintonizado com os mandamentos como uma harpa está com suas cordas. Por isso eu abençoo sua piedosa atitude, reconhecendo sua virtude e perfeição, e o modo como ele vive mantendo uma compostura absolutamente piedosa, livre de caprichos e ira.

2 Uma vez que vocês são filhos da luz da verdade, fujam do cisma e da falsa doutrina. Onde estiver o pastor, sigam-no como ovelhas. [2] Pois há muitos lobos enganadores que, por meio de prazeres malignos, capturam aqueles que participam da corrida de Deus. Em face de sua união, porém, eles não terão a menor oportunidade.

3 Mantenham-se longe das más pastagens. Jesus Cristo não as cultivou, pois o Pai não as plantou. Não que eu veja facções entre vocês — pelo contrário, vocês foram cuidadosamente escolhidos. Todos aqueles que são de Deus e de Jesus Cristo, esses estão do lado do bispo; e todos aqueles que se arrependerem e entrarem na unidade da igreja, esses serão de Deus e assim viverão segundo o caminho de Jesus Cristo. [2] Não se iludam, meus irmãos: quem se unir a um faccioso não herdará o reino de Deus. Quem trilhar o caminho da heresia estará em desacordo com a Paixão [de Cristo].

4 Tomem, então, o cuidado de celebrar uma única eucaristia. Pois há um só corpo de nosso Senhor, Jesus Cristo, e uma só taça de seu sangue que nos unifica, e um só altar, exatamente como há um só bispo juntamente com o presbitério e os diáconos, meus colegas de escravidão. Desse modo, vocês estão de acordo com a vontade de Deus.

5 Meus irmãos, em meu abundante amor por vocês eu me rejubilo por alertá-los — embora não seja eu quem o faz, mas Jesus Cristo. O fato de eu ser prisioneiro pela causa dele me torna mais temeroso de ainda estar longe da perfeição. Mas suas orações a Deus me tornarão perfeito para que eu possa conquistar o destino que misericordiosamente me foi reservado, refugiando-me no evangelho, como no corpo de Jesus, e nos apóstolos, como no presbitério da Igreja. [2] E os profetas, vamos amá-los também, porque eles anteciparam o evangelho em sua pregação e nele [Cristo] esperaram e o aguardaram, e por crerem nele foram salvos. Assim, eles estavam na unidade de Jesus Cristo. Eram santos, e nós devemos amá-los e admirá-los, vendo que Jesus Cristo os legitimou, e eles constituem uma parte real do evangelho de nossa esperança comum.

6 Ora, se alguém pregar o judaísmo entre vocês, não lhe deem atenção. Pois é melhor ouvir falar do cristianismo da boca de um circunciso do que do judaísmo da boca de um gentio. Mais ainda, se ambos deixarem de falar de Jesus Cristo, eles são a meu ver sepulcros dos mortos e pedras tumulares, sobre as quais apenas nomes humanos estão gravados. [2] Fujam, então, dos maldosos embustes e ciladas do príncipe deste mundo, para que as sugestões dele não os desgastem, e vocês acabem vacilando em seu amor. Pelo contrário, reúnam-se todos num só coração. [3] Agradeço a meu Deus o fato de em minhas relações com vocês eu nada ter de que me envergonhar. Ninguém pode alardear em segredo ou em público que eu signifiquei o mais leve fardo para quem quer que fosse. Da mesma forma, confio que ninguém daqueles com quem falei julgue necessário tomar minhas palavras como uma crítica pessoal.

7 Pode haver alguém que tenha desejado, seguindo um comportamento humano, me desencaminhar, mas o Espírito não se desencaminha, pelo fato de vir de Deus. Pois "ele sabe de onde vem e para onde vai, e revela o que está oculto" (cit. n.i.). Quando eu estive com vocês eu gritei, elevei o tom da voz — era a voz de Deus: "Prestem atenção ao bispo, ao presbitério e aos diáconos". [2] É verdade que alguns suspeitaram que eu falava porque tinha ouvido antes que alguns de vocês eram facciosos. Mas juro por aquele por quem sou prisioneiro que eu não soube de nada disso por meio de canais humanos. Foi o Espírito que insistiu na pregação destas palavras: "Nada façam independentemente do bispo; preservem o corpo como se ele fosse o templo de Deus; valorizem a unidade; fujam do cisma; imitem Jesus Cristo como ele imitou seu Pai".

8 Eu, então, estava fazendo o possível, como um homem totalmente devotado à unidade. Onde há divisão e ressentimento não há espaço para Deus. O Senhor perdoa a todos que se arrependem — isto é, se o arrependimento trouxer os facciosos de volta para a unidade de Deus e para o conselho do bispo. Deposito minha confiança na graça de Jesus Cristo. Ele os libertará de suas cadeias. [2] Insisto para que vocês nada façam em partidos, mas que ajam como discípulos de Cristo. Quando ouvi algumas pessoas dizendo: "Se eu não comprovar isso em documentos originais, não acredito que se trate do evangelho", eu lhes respondi: "Mas está escrito lá". Eles replicaram: "Essa é uma questão a ser comprovada". A meu ver, Jesus Cristo é que é o documento original. Os arquivos invioláveis são sua cruz, morte e ressurreição, e a fé que veio por intermédio dele. É por meio dessas coisas e das orações de vocês que eu quero ser justificado.

9 Os sacerdotes têm um belo cargo, mas melhor ainda é o do Sumo Sacerdote a quem foi confiado o Santo dos Santos. Somente a ele foram confiados os segredos de Deus. Ele é a porta para o Pai. Por ela entram Abraão, Isaque e Jacó, os profetas e os apóstolos e a Igreja. Todos eles encontram seu lugar na unidade de Deus. [2] Mas há algo especial envolvendo o evangelho — refiro-me à vinda do Salvador, nosso Senhor Jesus Cristo, sua Paixão e ressurreição. Os amados profetas anunciaram sua vinda, mas o evangelho é a conquista que coroa tudo para sempre. Todas essas coisas, tomadas em conjunto, têm seu valor, desde que vocês preservem a fé no amor.

10 Graças a suas orações e ao amor que vocês têm por mim em Cristo Jesus, chegou-me a notícia de que a igreja de Antioquia na Síria está em paz. Consequentemente, seria uma coisa boa para vocês, como igreja de Deus, escolher um diácono para ir até lá numa missão, como representante de Deus, e, durante uma celebração formal, felicitá-los e glorificar o Nome. [2] Aquele que tiver o privilégio de realizar essa incumbência desfrutará da bênção de Jesus Cristo, e vocês também conquistarão glória. Se de fato quiserem fazer isso em honra de Deus, não é impossível, visto que algumas das igrejas da vizinhança já enviaram bispos; outras, presbíteros e diáconos.

11 Agora sobre Filo, o diácono da Cilícia. Ele é muito elogiado e neste exato momento está me ajudando na causa de Deus, juntamente com Reos Agátopus — uma pessoa escolhida — que me acompanha desde a Síria e assim deu adeus a esta vida presente. Eles falam bem de vocês, e por vocês eu agradeço a Deus a boa acolhida que lhes dispensaram, como o Senhor dispensa a vocês. Espero que aqueles que fizeram pouco caso deles sejam redimidos pela graça de Jesus Cristo. [2] Os irmãos em Trôade lhes enviam carinhosas saudações. É de Trôade que lhes envio esta carta pelas mãos de Burrhus. Os efésios e os esmirniotas concederam-me a honra de enviá-lo para me visitar. Eles, por sua vez, serão honrados por Jesus Cristo, em quem depositaram sua esperança de corpo, alma, espírito, fé, amor e unanimidade. Passem bem em Cristo Jesus, nossa esperança comum.

A carta de Inácio, bispo de Antioquia, aos esmirniotas

O TEXTO

As mais cordiais e sinceras saudações na Palavra de Deus da parte de Inácio, o "inspirado por Deus", à igreja de Deus Pai e do bem-amado Jesus Cristo, sediada em Esmirna na Ásia. Pela misericórdia de Deus vocês receberam todas as dádivas: têm fé e amor em abundância, e nenhum dom lhes falta. Vocês são uma maravilhosa honra para Deus e verdadeiros santos.

1 Exalto a Jesus Cristo, o Deus que lhes concedeu tanta sabedoria. Pois eu percebi que vocês estavam equipados com uma fé inabalável, sendo pregados, por assim dizer, de corpo e alma à cruz do Senhor Jesus Cristo, e estando enraizados no amor pelo sangue de Cristo. A respeito de nosso Senhor, vocês estão absolutamente convencidos de que, do lado humano, ele realmente descendeu da linhagem de Davi, Filho de Deus segundo a vontade e o poder de Deus, de fato nascido de uma virgem, batizado por João, para que toda justiça pudesse ser satisfeita por ele, e que ele foi realmente crucificado fisicamente, sob Pôncio Pilatos e o tetrarca Herodes. (Nós somos parte de seu fruto que se originou em sua santíssima Paixão.) E assim, por sua ressurreição, ele ergueu um estandarte para reunir seus santos e fiéis para sempre — judeus ou gentios — num só corpo de sua Igreja.

2 Pois foi em nosso benefício que ele suportou tudo isso, para nos salvar. E ele sofreu genuinamente, da mesma forma que genuinamente ressuscitou. A Paixão não foi, como dizem alguns descrentes, uma farsa. Eles é que são uma farsa! Sim, e seu destino estará de acordo com suas fantasias — eles serão fantasmas e assombrações.

3 Quanto a mim, estou convencido e creio que até depois da ressurreição ele tinha um corpo. [2] De fato, quando se apresentou a Pedro e a seus amigos, ele lhes disse: "Abracem-me, toquem-me e vejam que não sou um fantasma incorpóreo". E eles imediatamente o tocaram e ficaram convencidos, sentindo seu corpo e sua própria respiração. Por esse motivo eles desprezaram a própria morte e se mostraram vitoriosos sobre ela. Além disso, depois da ressurreição ele comeu e bebeu com eles como um ser humano real, embora em espírito estivesse unido ao Pai.

4 Insisto sobre essas coisas com vocês, amados, embora eu tenha perfeita consciência de que concordam comigo. Mas quero preveni-los de antemão contra feras selvagens em forma humana. Vocês não somente devem se recusar a receber essas pessoas, mas, se possível, devem evitar encontros com elas. Apenas orem por elas para que de algum modo se arrependam, por mais difícil que isso seja. No entanto, Jesus Cristo, nossa única vida genuína, tem o poder de trazê-las de volta. [2] Se o que nosso Senhor fez foi uma farsa, também são uma farsa as correntes que me prendem. Por que, nesse caso, eu me entreguei completamente à morte, ao fogo, à espada e às feras selvagens? Pela simples razão de que perto da espada significa perto de Deus. Estar com feras selvagens significa estar com Deus. Mas tudo deve ser feito em nome de Jesus Cristo. Para compartilhar sua Paixão eu vou me submeter a tudo, pois aquele que se tornou o homem perfeito me dá a força.

5 No entanto, em sua ignorância alguns o negam — ou melhor, têm sido negados por ele, uma vez que defendem a morte em vez da verdade. Os profetas e a lei de Moisés não os convenceram — não, até o dia de hoje o evangelho e os sofrimentos de cada um de nós também falharam, pois eles classificam nossos sofrimentos com os de Cristo. [2] Que bem me faz aquele que me elogia e depois insulta o meu Senhor recusando-se a reconhecer que ele carregou consigo um corpo vivo? Quem nega isso o rejeita por inteiro e carrega consigo um cadáver. [3] Os nomes dessas pessoas, uma vez que são descrentes, não vou registrá-los por escrito. Não, longe de mim lembrá-los até que se arrependam e reconheçam a Paixão, que é nossa ressurreição.

6 Que ninguém se engane: seres celestiais, os esplêndidos anjos e os principados, visíveis e invisíveis, se não crerem no sangue de Cristo, também serão condenados. "Quem puder aceitar isso, aceite" (Mt 19.12). Que ninguém deixe que sua posição lhe suba à cabeça, pois a fé e o amor são tudo — nada existe preferível a isso. [2] Prestem muita atenção àqueles que alimentam falsas ideias acerca da graça de Jesus Cristo, que nos foi dada, e notem como eles diferem da mente divina. Eles não dão nenhuma importância ao amor: não têm nenhuma preocupação com viúvas e órfãos, com os oprimidos, com os que estão presos ou libertos, com os que passam fome ou têm sede.

7 Eles se mantêm distantes da eucaristia e dos serviços de oração, porque se recusam a admitir que a eucaristia é o corpo de nosso Salvador Jesus Cristo, que sofreu por nossos pecados e que, em sua bondade, o Pai ressuscitou [dos mortos]. Consequentemente, aqueles que brigam e discutem a dádiva de Deus se defrontam com a morte. Melhor teria sido para eles amar e compartilhar a ressurreição. [2] O certo a fazer, então, é evitar essa gente e não falar deles em particular ou em público. Em vez disso, prestem atenção aos profetas e acima de tudo ao evangelho. Ali temos um retrato claro da Paixão e vemos que a ressurreição de fato aconteceu.

8 Fujam do sectarismo, a fonte do mal. Vocês todos devem seguir o bispo como Jesus Cristo seguiu o Pai. Sigam também o presbitério como se seguissem os apóstolos; e respeitem os diáconos como se respeitassem a lei de Deus. Ninguém deve fazer coisa alguma em relação à Igreja sem a aprovação do bispo. Vocês devem considerar válida a eucaristia que é celebrada ou pelo bispo ou por alguém autorizado por ele. [2] Onde preside o bispo, ali deve reunir-se a congregação, exatamente como onde está Jesus Cristo, ali está a Igreja Católica. Sem a supervisão do bispo, não são permitidos batismos nem ágapes. Em contrapartida, tudo aquilo que ele aprovar também é do agrado de Deus. Desse modo, tudo aquilo que vocês fizerem será seguro e válido.

9 É bom recuperarmos finalmente a sensatez, enquanto ainda temos a oportunidade de nos arrepender e buscar a Deus. É louvável reconhecer a Deus e ao bispo. Aquele que glorifica o bispo é glorificado por Deus. Mas aquele que age sem o conhecimento do bispo está a serviço do diabo. [2] Que mediante a graça de Deus vocês tenham tudo em abundância! Vocês merecem. Vocês me proporcionaram um conforto infinito; que Jesus Cristo faça o mesmo por vocês! Estando eu ausente ou presente, vocês me deram seu amor. Que Deus lhes pague! Se por ele suportarem tudo, vocês chegarão até ele.

10 Foi bondade de sua parte acolher Filo e Reos Agátopus como diáconos do Cristo Deus. Eles me acompanharam na causa de Deus, e agradecem a Deus por vocês lhes proporcionarem todos os confortos. Posso lhes garantir que não vão perder nada com isso. [2] Prisioneiro como sou, estou oferecendo minha vida por vocês — não que ela tenha grande valor! Vocês não desprezaram minhas cadeias e não se envergonharam delas. Tampouco Jesus Cristo se envergonhará de vocês. Podem confiar nele cegamente!

11 Suas orações já alcançaram a igreja de Antioquia, na Síria. Eu vim de lá, preso com essas magníficas correntes, e lhes envio todas as saudações. Não mereço, é óbvio, ser membro daquela igreja, constatando que sou o menor entre eles. No entanto, a vontade de Deus quis me conceder o privilégio — não, de fato, por algo que eu tivesse feito por iniciativa minha, mas por sua graça. Ah, quero que essa graça me seja plenamente concedida, para que, pelas orações de vocês, eu possa chegar a Deus! [2] Bem, então, para que sua própria conduta possa ser perfeita na terra e no céu, é justo que sua igreja honre a Deus enviando um delegado em seu nome para ir à Síria e felicitá-los por estarem em paz, por terem recuperado todo o seu grupo original e por terem restaurado sua vida comunitária. [3] A meu ver, isso é o que Deus gostaria que vocês fizessem: enviar um de seus membros com uma carta e assim juntar-se a eles na exaltação da calma que Deus lhes concedeu e do fato de eles já terem chegado a um bom porto, graças a suas orações. Vendo que vocês são perfeitos, suas intenções também devem ser perfeitas. De fato, se quiserem fazer o que é certo, Deus está disposto a lhes conceder sua ajuda.

12 Os irmãos de Trôade lhes mandam seu amor. De lá, envio-lhes esta carta pelas mãos de Burrhus. Vocês se uniram a seus irmãos efésios enviando-o a meu encontro para ficar comigo, e ele me reanimou completamente. Gostaria que todos fossem como ele, pois se trata de um modelo do que um ministro de Deus deve ser. A graça de Deus o recompensará por tudo o que ele fez por mim. [2] Saudações a seu bispo (ele é uma grande honra para Deus!), e a seu esplêndido presbitério e aos diáconos, meus colegas de escravidão, e a cada um e a todos vocês, em nome de Jesus, em seu corpo e sangue, em sua Paixão e ressurreição, física e espiritual, e na unidade — de Deus e de vocês. Que vocês tenham a graça, a misericórdia, a paz e a paciência, para sempre.

13 Saudações às famílias de meus irmãos, juntamente com suas mulheres e filhos, e às virgens associadas às viúvas. Desejo-lhes que passem bem em nome do poder do Pai. Filo, que está aqui comigo, lhes manda saudações. [2] Saudações à família de Tavia. Quero que ela se mantenha firme e completamente fundamentada na fé e no amor. Saudações a Alce, que significa muito para mim, ao inimitável Dafnos, a Eutecno e a cada um de vocês. Felicidades na graça de Deus.

A carta de Inácio, bispo de Antioquia, a Policarpo

O TEXTO

As mais calorosas saudações da parte de Inácio, o "inspirado por Deus", a Policarpo, que é bispo da igreja de Esmirna — ou melhor, que tem Deus Pai e o Senhor Jesus Cristo como seu bispo.

1 Embora eu tenha ficado impressionado com sua piedosa mentalidade, que se fixa, por assim dizer, numa rocha inabalável, sinto-me mais do que agradecido por me ter sido dado ver seu santo rosto. [2] Deus queira que eu nunca me esqueça disso! Pela graça com que você se revestiu, recomendo-lhe com insistência que continue avançando em sua corrida e estimulando a todos a buscar a salvação. Justifique sua posição dedicando toda a sua atenção a seus aspectos materiais e espirituais. Faça da unidade a sua preocupação — não há nada melhor do que isso. Ajude todo mundo, como o Senhor o ajuda. Por amor seja paciente com todos, como você de fato é. [3] Dedique-se à oração contínua. Peça uma intuição cada vez maior. Seja sempre vigilante mantendo o espírito alerta. Dispense um interesse pessoal àqueles a quem você dirige a palavra, exatamente como Deus faz. Carregue as enfermidades de todos como um atleta em perfeita forma. Quanto mais árduo o trabalho, tanto maior o lucro.

2 Não constitui motivo de honra você gostar de bons alunos. Em vez disso, conquiste com sua brandura os que são irritantes. Nem todas as feridas são curadas com o mesmo emplastro. Alivie os espasmos de dor com cataplasmas. [2] Em todas as circunstâncias, seja "astuto como uma serpente" e sempre "sem malícia como um pombo" (Mt 10.16). A razão pela qual você tem um corpo e uma alma é para que possa conquistar os benefícios do mundo visível. Mas peça para poder ter revelações do que é invisível. Desse modo, não lhe faltará nada e você terá todos os dons em abundância.

[3] Assim como os pilotos requerem ventos e um navegante num mar agitado um porto, épocas como esta exigem uma pessoa igual a você. Com sua ajuda nós chegaremos a Deus. Como atleta de Deus, seja sóbrio. O prêmio, como bem sabe, são a imortalidade e a vida eterna. Amarrado como estou com correntes beijadas por você, por você entrego todo o meu ser, por mais barato que esse sacrifício seja.

3 Você não deve se deixar apavorar por aqueles que têm um ar de credibilidade, mas ensinam heresias. Mantenha sua posição como uma bigorna sob os golpes da marreta. Um grande atleta deve sofrer golpes para obter a conquista. E especialmente pelo amor a Deus devemos tudo suportar, para que ele nos suporte. [2] Mostre mais entusiasmo do que você costuma fazer. Observe os tempos registrados. Fique atento àquele que está acima do tempo, o Atemporal, o Invisível, aquele que se tornou visível em nosso benefício, que estava além do toque físico e da paixão, mas mesmo assim, por nós, sujeitou-se ao sofrimento e tudo suportou.

4 As viúvas não devem ser negligenciadas. Seguindo o Senhor, você deve ser o protetor delas. Não permita que coisa alguma se faça sem o seu consentimento; e não faça nada sem o consentimento de Deus, como você de fato não faz. Fique firme. [2] Realize serviços [religiosos] com maior frequência. Trate todas as pessoas pelo nome. [3] Não trate os escravos e as escravas com desprezo. Tampouco devem eles tornar-se insolentes; mas para a glória de Deus devem servir com maior dedicação, para que possam obter de Deus uma liberdade melhor. Além disso, eles não devem mostrar-se excessivamente ansiosos para ganhar sua liberdade às custas da comunidade, a fim de não se revelarem escravos de paixões egoístas.

5 Fuja dessas práticas maldosas — não, ainda melhor, pregue contra elas.

Diga a minhas irmãs que amem o Senhor e se sintam totalmente satisfeitas com seus maridos. De modo semelhante, instigue meus irmãos no nome de Jesus Cristo a "amar suas esposas como Cristo ama a Igreja" (Ef 5.25). [2] Se alguém conseguir viver na castidade para a honra do corpo do Senhor, que o faça sem vangloriar-se. Se alguém se vangloriar disso, está perdido; e se ele for mais reverenciado que o bispo, sua castidade vale seu descrédito. É justo que homens e mulheres que se casam sejam unidos pela aprovação do bispo. Desse modo, o casamento deles estará de acordo com a vontade de Deus, e não com as provocações de luxúria. Que tudo seja feito de modo a promover a honra de Deus.

6 Prestem atenção ao bispo para que Deus preste atenção a vocês. Ofereço minha vida como um sacrifício (por mais pobre que seja) em prol dos que obedecem ao bispo, aos presbíteros e aos diáconos. Que eu possa, juntamente com eles, receber minha parte na recompensa de Deus! Compartilhem seu árduo treinamento — lutem juntos, corram juntos, sofram juntos, durmam juntos, levantem-se juntos, como mordomos, auxiliares e assistentes de Deus. [2] Deem satisfação àquele em cujas fileiras vocês servem e de quem receberão seu soldo. Que ninguém de vocês se mostre desertor. Que seu batismo seja sua arma; sua fé, seu capacete; seu amor, sua lança; sua paciência, sua armadura. Que seus feitos sejam seus depósitos, de modo que vocês no fim tenham uma poupança considerável. Sejam, então, pacientes e gentis uns com os outros, assim como Deus é com vocês. Que eu sempre possa me alegrar a seu respeito.

7 Recebi a notícia de que, graças a suas orações, a igreja de Antioquia, na Síria, está agora em paz. Diante disso, criei coragem e, confiando em Deus, tranquilizei-me — supondo, na verdade, que posso chegar a Deus por meio do sofrimento, e na ressurreição provar ser seu discípulo. [2] Assim, meu caro Policarpo (com quanta riqueza Deus o abençoou!), você deveria convocar um conselho religioso e nomear alguém que você considera especialmente caro e diligente, que possa atuar como mensageiro de Deus. Você deve conceder-lhe o privilégio de viajar para a Síria e, mediante a exaltação de sua incansável generosidade, promover a glória de Deus. [3] Um cristão não controla a própria vida, mas dedica todo o seu tempo a Deus. Esta é a obra de Deus, e quando você a houver completado, ela também será sua. Pois a graça de Deus me faz confiar que você está preparado para agir com generosidade quando se trata de fazer o que ele quer. É pelo fato de eu ter perfeita consciência de sua zelosa sinceridade que reduzo meu apelo a tão poucas palavras.

8 Não consegui escrever a todas as igrejas porque vou partir imediatamente (Deus quis assim) de Trôade para Neápolis. Quero, portanto, que você, como alguém que está de acordo com Deus, escreva às igrejas adiante e lhes diga para fazer o mesmo. Os que podem devem enviar representantes, enquanto os outros devem enviar cartas por meio de seus próprios delegados. Desse modo você conquistará fama, como lhe é merecido, por um ato que será lembrado para sempre. [2] Saudações a cada um de vocês pessoalmente, e à viúva de Epítropo com seus filhos e toda a família dela. Saudações a meu caro Átalo. Saudações àquele que será escolhido para ir à Síria. A graça sempre estará com ele e com Policarpo, que o envia. Como de costume, despeço-me de vocês em nosso Deus, Jesus Cristo. Permaneçam nele e assim compartilharão a divina unidade e estarão sob os cuidados de Deus. Saudações a Alce, que para mim significa muito. Passem bem no Senhor.

As cartas de Policarpo

A carta de Policarpo, bispo de Esmirna, aos filipenses

O TEXTO

Policarpo e os presbíteros que estão com ele, à igreja de Deus que reside em Filipos; que a misericórdia e a paz lhes sejam multiplicadas da parte do Deus todo-poderoso e de Jesus Cristo, nosso Salvador.

1 Alegro-me com vocês imensamente em nosso Senhor Jesus Cristo, pelo fato de vocês terem acolhido os modelos do verdadeiro Amor e, aproveitando a oportunidade que tiveram, de terem ajudado em sua viagem aqueles homens que estão presos em correntes que nos santos ajustam-se bem, pois são de fato os diademas dos verdadeiros eleitos de Deus e de nosso Senhor. [2] E também me rejubilo porque a firme raiz de sua fé, conhecida desde o princípio, ainda subsiste e produz frutos para nosso Senhor Jesus Cristo, que suportou nossos pecados até morrer, "mas Deus o ressuscitou dos mortos, rompendo os grilhões do Hades" (At 2.24). [3] "Mesmo não o tendo visto, vocês creem nele e exultam com alegria indizível e gloriosa" (1Pe 1.8) — alegria que muitos ansiaram por sentir — sabendo que "vocês são salvos pela graça, não por obras" (Ef 2.8-9), isto é, pela vontade de Deus por meio de Jesus Cristo.

2 Portanto, fiquem atentos, sirvam a Deus em temor e em verdade, deixando de lado a loquacidade vazia e os ensinamentos errados da multidão, crendo naquele que o ressuscitou dentre os mortos e o tornou glorioso e lhe deu um trono a sua direita, ao qual ele submeteu todas as coisas, tanto no céu como na terra, a quem tudo o que tem vida serve, que está pronto para julgar os vivos e os mortos, cujo sangue Deus exigirá daqueles que a ele desobedecem. [2] Pois "aquele que o ressuscitou dentre os mortos, também nos ressuscitará" (2Co 4.14), se nós fizermos sua vontade e seguirmos seus mandamentos, e amarmos o que ele amou, abstendo-nos de todo mal, da avareza, do apego ao dinheiro, da calúnia e do falso testemunho, não retribuindo mal com mal, nem insulto com insulto, nem golpe com golpe, nem maldição com maldição; mas antes lembrando-nos do que o Senhor disse quando nos ensinou: [3] "Não julguem, e vocês não serão julgados. Perdoem, e serão perdoados" (Lc 6.37). Sejam misericordiosos, para que possam obter misericórdia. "Pois a medida que usarem também será usada para medir vocês" (Lc 6.38). E: "Bem-aventurados os pobres e os perseguidos por causa da justiça, pois deles é o Reino dos céus" (Mt 5.3,10).

3 Escrevo essas coisas sobre a justiça, irmãos, não por iniciativa minha, mas porque vocês primeiro me convidaram a fazê-lo. [2] Certamente, nem eu nem ninguém como eu consegue acompanhar a sabedoria do bem-aventurado e glorioso Paulo, que, quando esteve presente face a face entre vocês com a geração de seu tempo, ensinou-lhes com precisão e firmeza "a palavra da verdade" (2Tm 2.15). Também quando ausente, ele lhes escreveu cartas que lhes possibilitarão, se as estudarem atentamente, crescer na fé transmitida a vocês, [3] "que é a mãe de todos nós" (Gl 4.26), acompanhada de esperança e guiada pelo amor a Deus, a Cristo e ao próximo. Pois se alguém se ocupar disso, terá observado o mandamento da justiça; pois aquele que possui o amor está longe de qualquer pecado.

4 Mas "o amor ao dinheiro é a raiz de todos os males" (1Tm 6.10). Sabendo, portanto, que "nada trouxemos para este mundo e dele nada podemos levar" (1Tm 6.7), vamos nos armar "com as armas da justiça" (2Co 6.7) e vamos, em primeiro lugar, ensinar a nós mesmos a viver segundo o mandamento do Senhor.

[2] Então vocês precisam ensinar suas mulheres, na fé transmitida a elas e no amor e na pureza, a tratar seus maridos com carinho em total fidelidade, e a amar todos os outros de maneira

igual em total castidade, e a educar seus filhos no temor de Deus. [3] E as viúvas devem ser discretas em sua fé comprometida ao Senhor, orando sem cessar por todos, evitando qualquer calúnia, fofoca, falso testemunho, apego ao dinheiro — de fato, todas as espécies de maldade —, sabendo que elas são o altar de Deus, que tudo examina para verificar possíveis falhas e nada lhe escapa, seja em pensamentos, seja em sentimentos ou em quaisquer "segredos do coração" (1Co 14.25).

5 Sabendo, então, que "de Deus não se zomba" (Gl 6.7), devemos levar uma vida digna de seus mandamentos e sua glória. [2] Da mesma forma, os diáconos devem ser irrepreensíveis diante de sua justiça, como servos de Deus e de Cristo, e não dos homens; não sendo caluniadores, ou falsos, ou apegados ao dinheiro; mas sendo comedidos em todos os assuntos, compassivos, cuidadosos, vivendo de acordo com a verdade do Senhor, que se tornou "servo de todos" (Mc 9.35). Se nós agradarmos a ele no tempo presente, também prevaleceremos no tempo futuro, pois ele prometeu nos ressuscitar dos mortos. E se formos cidadãos dignos dele, "com ele também reinaremos" (2Tm 2.12) — desde que, obviamente, tenhamos fé. [3] De igual maneira, também os mais jovens devem ser irrepreensíveis em todas as coisas, especialmente preocupando-se com a pureza e refreando-se de todo mal. É uma coisa boa evitar todas as situações de luxúria deste mundo, pois "os desejos carnais guerreiam contra a alma" (1Pe 2.11), e "nem os fornicadores, nem os efeminados, nem os homossexuais herdarão o Reino de Deus, nem aqueles que adotam práticas perversas" (cit. n.i.). Por isso, é preciso abster-se de todas essas coisas e obedecer aos presbíteros e diáconos como se obedecêssemos a Deus e a Cristo. E as mulheres jovens devem viver com uma consciência ilibada e pura.

6 Também os presbíteros devem ser compassivos, misericordiosos com todos, trazendo de volta os que se desviaram do caminho, cuidando dos enfermos, não esquecendo as viúvas ou os órfãos ou quem for pobre, mas sempre se preocupando com o que é honroso aos olhos de Deus e dos homens, abstendo-se de toda ira, da parcialidade, do juízo injusto, evitando o apego ao dinheiro, não sendo precipitados no julgar, sabendo que todos temos a dívida do pecado. [2] Se, então, oramos ao Senhor pedindo perdão, nós também devemos perdoar; pois estamos diante dos olhos do Senhor e de Deus e "todos nós devemos comparecer perante o tribunal de Cristo" (2Co 5.10). "Assim, cada um de nós prestará contas de si mesmo a Deus" (Rm 14.12). [3] Então, vamos servir-lhe com temor e reverência, como ele mesmo ordenou juntamente com os apóstolos que nos pregaram o evangelho e os profetas que previram a vinda do Senhor. Sejamos zelosos pelo que é bom, evitando ocasiões de escândalo e falsos irmãos e aqueles que usam hipocritamente o nome do Senhor, que enganam gente de cabeça oca.

7 Pois "muitos não confessam que Jesus Cristo veio em corpo. Tal é o enganador e o anticristo" (2Jo 7), e todo aquele que não confessa o testemunho da cruz "é do Diabo" (1Jo 3.8); e todos que distorcem as palavras do Senhor para satisfazer seus próprios desejos lascivos e dizem que não existe nem ressurreição nem julgamento — esses são os primogênitos de Satanás. [2] Vamos, portanto, abandonar a vaidade da multidão e seus falsos ensinamentos e voltar à palavra que nos foi transmitida desde o princípio, vigiando em oração e continuando firmes na prática do jejum, suplicando com fervor ao Deus que tudo vê para não nos deixar cair em tentação, exatamente como disse o Senhor: "O espírito está pronto, mas a carne é fraca" (Mt 26.41).

8 Vamos, então, ficar firmes e incessantemente fiéis a nossa esperança e à promessa de retidão, isto é, a Cristo Jesus: "Ele mesmo levou em seu corpo os nossos pecados sobre o madeiro" (1Pe 2.24). "Ele não cometeu pecado algum, e nenhum engano foi encontrado em sua boca" (1Pe 2.22). Mas em nosso benefício ele tudo suportou para que nele pudéssemos viver. [2] Portanto, sejamos imitadores de sua paciente tolerância, e se nós sofrermos por causa de seu nome, vamos glorificá-lo. Pois ele nos deu esse exemplo em sua própria pessoa, e foi nisso que nós cremos.

9 Agora, exorto todos vocês a ser obedientes à palavra de justiça e exercer toda paciente tolerância, que vocês testemunharam com seus próprios olhos, não apenas nas abençoadas pessoas de Inácio, Zózimo e Rufo, mas também em outros que foram membros de sua comunidade, e no próprio Paulo e nos demais apóstolos; [2] persuadidos de que eles todos não correram em vão, mas na fé e na justiça, e de que agora eles ocupam o lugar que mereceram junto ao Senhor, cujo sofrimento eles compartilharam. Pois eles amaram não este mundo presente, mas aquele que morreu por nós e foi ressuscitado por Deus em nosso benefício.

10 Mantenham-se firmes, portanto, nessas coisas e sigam o exemplo do Senhor, firmes e inabaláveis na fé, amando os irmãos; sendo carinhosos uns com os outros e cooperadores em favor da verdade; na suavidade do Senhor, preferindo uns aos outros, sem desprezar ninguém. [2] Quando lhes for possível, não deixem de fazer o bem a quem dele precisa, porque "a doação de esmolas livra da morte" (cit. n.i.). Submetam-se, todos vocês, uns aos outros, levando uma vida acima da censura dos pagãos, de modo que possam ser elogiados por suas boas obras, e o Senhor não seja blasfemado por sua causa. [3] "Ai daqueles, porém, por meio dos quais o nome do Senhor é blasfemado" (cit. n.i.). Portanto, ensinem, todos vocês, a sobriedade com a qual estão vivendo.

11 Sinto-me profundamente angustiado por causa de Valentim, que durante algum tempo foi presbítero entre vocês, porque ele abandonou a função que recebeu. Advirto-os, portanto, de que evitem o apego ao dinheiro e sejam puros e sinceros. [2] Evitem o mal de toda espécie. Pois como alguém que não sabe conduzir a si mesmo nestas coisas pode ensinar aos outros? Se alguém não evita o apego ao dinheiro, ele será corrompido pela idolatria e assim será julgado como se fosse um pagão, que ignora o julgamento do Senhor. Ou será "que não sabemos que os santos hão de julgar o mundo", como ensina Paulo (1Co 6.2)? [3] Todavia, eu não observei nem ouvi nada disso entre vocês, com quem o bem-aventurado Paulo trabalhou e a quem ele mencionou no início de suas cartas. Ele costumava se orgulhar de vocês em todas as igrejas que naquela época eram as únicas que conheciam a Deus; pois nós ainda não o conhecíamos. [4] Por isso, lamento muito o caso daquele homem e sua mulher. Que Deus lhes conceda o verdadeiro arrependimento. Mas vocês também devem ser moderados nessa questão; e não os considerem como inimigos, mas recuperem-nos como membros que estão sofrendo e andam perdidos, para que vocês possam salvar seu corpo inteiro. Pois fazendo isso vocês vão se aperfeiçoar.

12 Confio, de fato, que vocês sejam bem versados nas Sagradas Escrituras e que nada lhes escape — algo que não me foi dado —, mas que simplesmente, como está nessas Escrituras, "quando vocês ficarem irados não pequem" e "apaziguem sua ira antes que o sol se ponha" (Ef 4.26). Feliz é aquele que se lembra disso. Creio que é o que acontece com vocês. [2] Que Deus e o Pai de nosso Senhor Jesus Cristo os edifique na fé, na verdade e em toda gentileza, sem raiva e em paciente tolerância, em resignação, clemência e pureza; e lhes conceda um lugar e participação entre seus santos, e também a nós juntamente com vocês, e a todos que, sob o céu, estão destinados a crer em nosso Senhor Jesus Cristo e no Deus Pai que o ressuscitou dos mortos. [3] Orem por todos os santos, orem também pelos imperadores, magistrados e governantes, e orem por aqueles que os perseguem e pelos inimigos da cruz de Cristo, para que seu fruto seja visível em todos, de modo que vocês sejam perfeitos nele.

13 Vocês, assim como Inácio, me escreveram pedindo que, se alguém viajar para a Síria, leve consigo também a carta dele. Se uma oportunidade favorável se apresentar, vou cuidar disso — ou pessoalmente ou pelas mãos de quem for enviado para representar vocês e também a mim. [2] Estamos lhes enviando as cartas de Inácio, as que nos foram endereçadas, e as outras que estavam em nossas mãos, exatamente como vocês nos pediram. Elas estão aqui anexadas. Delas vocês podem derivar grandes benefícios, pois dizem respeito à fé, à paciente tolerância e a todo aperfeiçoamento que se refere ao Senhor. Sobre Inácio e os que o acompanham, mandem-nos todas as informações confiáveis que vocês tenham.

14 Estou lhes enviando esta carta pelas mãos de Crescente, que recentemente recomendei a vocês e volto a recomendar agora. Ele morou conosco levando uma vida irrepreensível, e eu acredito que fará o mesmo entre vocês. Também lhes recomendo a irmã dele, quando ela aí chegar. Felicidades na graça de Senhor Jesus Cristo a vocês e a todos os seus. Amém.

O martírio de Policarpo, bispo de Esmirna, relatado na carta da igreja de Esmirna à igreja de Filomélio

O TEXTO

A igreja de Deus que reside em Esmirna à igreja de Deus que reside em Filomélio e a todos os membros da Igreja Católica que reside em todas as partes: que a misericórdia, a paz e o amor sejam multiplicados da parte de Deus Pai e de nosso Senhor Jesus Cristo.

1 Escrevemos a vocês, irmãos, para relatar os fatos envolvendo aqueles que sofreram o martírio, especialmente o bem-aventurado Policarpo, que pôs termo à perseguição selando-a, por assim dizer, com seu próprio testemunho. Pois quase tudo o que levou a esse desfecho aconteceu para que o Senhor pudesse mostrar mais uma vez um martírio conforme o evangelho. [2] Pois ele esperou ser traído, exatamente como fez o Senhor, até o fim para que pudéssemos ser seus imitadores, "cada um cuidando não somente dos seus interesses, mas também dos interesses dos outros" (Fp 2.4). Pois é uma característica do amor verdadeiro e firme alguém não apenas desejar salvar a si mesmo, mas salvar também todos os irmãos.

2 Abençoados e nobres são, de fato, todos os martírios que aconteceram de acordo com a vontade de Deus; pois devemos ser muito reverentes em atribuir a Deus poder sobre todas as coisas. [2] Pois quem não admiraria a nobreza e a paciente tolerância e o amor de seu Mestre? Alguns deles, tão dilacerados pelos açoites que a anatomia de seu corpo era visível, exibindo veias e artérias, resistiram com tal paciência que até os circunstantes se comoviam e choravam; outros conseguiram tal heroísmo que não emitiram nenhum grito ou gemido, mostrando-nos assim que, na exata hora da tortura, os mais nobres mártires de Cristo já não estavam na carne, mas, antes, que o Senhor estava ao lado deles e com eles conversava. [3] E entregando-se à graça de Cristo eles desprezaram as torturas deste mundo, comprando para si, no decorrer de uma hora, a vida eterna. Para eles o fogo de sua tortura desumana era frio; pois eles tinham diante dos olhos a fuga do fogo eterno que nunca se apaga, enquanto com os olhos do coração fitavam as coisas boas reservadas para os que resistem com paciência, "coisas que nem os ouvidos ouviram, nem os olhos viram, nem entraram no coração do homem" (1Co 2.9; cf. Is 64.4). Mas elas lhes foram mostradas pelo Senhor, pois eles já não eram homens, mas anjos. [4] De modo semelhante, os que foram condenados às feras selvagens suportaram terríveis castigos, sendo obrigados a se deitaram sobre estruturas pontiagudas e punidos com vários outros métodos de tortura, para que, por meio do prolongado castigo, o diabo pudesse levá-los, se possível, à negação de sua fé.

3 Muitas, de fato, foram as maquinações do diabo contra eles. Mas, graças sejam dadas a Deus, ele não prevaleceu contra todos eles. Na verdade, o nobilíssimo mártir Germânico encorajou a timidez deles com sua própria paciente tolerância — lutando contra as feras de um modo distinto. Pois quando o procônsul, na tentativa de persuadi-lo, mandou que tivesse dó de sua própria juventude, ele impetuosamente puxou sobre si as feras selvagens, desejando conseguir mais rapidamente a libertação desta vida perversa e desregrada. [2] Diante disso, toda a multidão, maravilhada com o heroísmo da estirpe dos cristãos que amam e temem a Deus, gritou: "Fora os ateus! Procurem Policarpo!".

4 Mas um frígio chamado Quinto, recém-chegado de seu país, se assustou quando viu as feras selvagens. De fato, ele e mais alguns outros haviam forçado sua exposição voluntária às feras. O procônsul, após muita insistência, persuadiu-o a fazer o juramento e a oferecer o sacrifício [aos deuses]. Por isso, irmãos, não louvamos os que se apresentam por sua própria iniciativa, pois o evangelho não nos ensina isso.

5 Ao ter notícia do que lhe estava reservado, o admirabilíssimo Policarpo não se perturbou e desejou permanecer na cidade. Mas a maioria o induziu a ir embora, e assim ele se retirou para uma fazenda não muito distante da cidade e ali ficou com alguns amigos, nada mais fazendo do que orar dia e noite por todos os homens e pelas igrejas espalhadas pelo mundo, como sempre fazia. [2] E enquanto orava, aconteceu que, três dias antes de sua captura, ele teve uma visão e viu seu travesseiro em chamas; e dirigindo-se a seus companheiros, disse: "Eu vou ser queimado vivo".

6 Enquanto os que estavam a sua procura continuaram a busca, ele se deslocou para outra fazenda, e imediatamente chegaram os que o procuravam. Não o encontrando, prenderam dois jovens escravos, um dos quais confessou sob tortura. [2] De fato, foi impossível escondê-lo, pois os que o traíram eram de sua própria casa. E o chefe da polícia, que coincidentemente tinha o nome de Herodes, tomou o cuidado de trazê-lo para a arena para que ele pudesse cumprir seu destino de ser transformado num participante com Cristo; enquanto os que o traíram devem sofrer o castigo do próprio Judas.

7 Tomando, portanto, o jovem escravo na sexta-feira por volta da hora do jantar, a polícia, equipada com suas armas de costume, partiu como se estivesse no encalço de um ladrão. E tarde da noite eles chegaram e o encontraram na cama no andar superior de uma casinha. Mesmo assim ele poderia ter escapado para outra fazenda, mas não quis, dizendo: "Seja feita a vontade de Deus". [2] Assim, quando os ouviu chegando, desceu e conversou com eles, enquanto os que o observavam se maravilharam com sua idade e constância e se perguntavam por que deveria haver tanta preocupação de prender alguém tão idoso. Imediatamente ele mandou que lhes servissem comida e bebida à vontade, e pediu-lhes que lhe concedessem uma hora para poder orar sem ser perturbado. [3] Quando eles consentiram, ele se pôs de pé e orou — estando tão repleto da graça de Deus que por duas horas não conseguiu se calar, para admiração dos que o ouviam. E muitos se arrependeram por terem vindo apanhar um velho tão devoto.

8 Quando finalmente terminou sua oração, na qual lembrou todos os que havia conhecido ao longo da vida, os grandes e os pequenos, os famosos e os desconhecidos, e toda a Igreja Católica do mundo inteiro, tendo chegado a hora da partida, ele foi posto sobre um jumento e levado para a cidade. [2] Era um sábado solene. E ali o chefe da polícia, Herodes, e seu pai, Nicetas, encontraram-se com ele e o transferiram para a carruagem deles e, sentados a seu lado, tentaram persuadi-lo, dizendo:

— Que mal há em dizer "Senhor César" e oferecer-lhe incenso e tudo o mais para salvar a si mesmo?

No início ele não respondeu. Mas quando eles insistiram, disse ele:

— Não vou fazer o que vocês estão me aconselhando.

[3] Então, quando não conseguiram persuadi-lo, eles proferiram ameaças e o fizeram sair da carruagem tão depressa que ao descer ele esfolou uma das canelas. Mas sem se virar, como se nada houvesse acontecido, seguiu rápido em frente e foi conduzido para dentro da arena, onde havia tamanho tumulto que não se podia ouvir ninguém.

9 Mas quando ele estava entrando na arena, veio do céu uma voz, dizendo: "Sê forte, Policarpo, e faze o papel de homem". Ninguém viu quem estava falando, mas gente de nosso grupo que ali estava ouviu a voz.

E quando finalmente ele foi apresentado, a notícia de que Policarpo fora preso provocou um grande tumulto. [2] Portanto, quando foi trazido à presença do procônsul, este lhe perguntou se ele era Policarpo. E quando este confessou que era, o procônsul tentou persuadi-lo a negar [a fé], dizendo: "Respeite a sua idade", e acrescentou outras coisas que são geralmente típicas dessa situação, tais como: "Jure pela fortuna de César; mude de ideia; diga: 'Fora com os ateus!'".

Mas Policarpo, com seu rosto muito sério, olhou para a multidão dos pagãos sem lei presentes na arena e fez-lhe um gesto com a mão. Depois, gemendo e olhando para o céu, disse:

— Fora com os ateus!

[3] Mas o procônsul insistiu, dizendo:

— Faça o juramento, e eu o libertarei. Amaldiçoe a Cristo.

Policarpo disse:

— Durante oitenta e seis anos o tenho servido, e ele nunca fez nada contra mim. Como posso blasfemar contra meu Rei que me salvou?

10 E o procônsul insistiu, dizendo:

— Jure pela fortuna de César.

Ele respondeu:

— Se o senhor inutilmente supõe que eu vou jurar pela fortuna de César, como diz, e finge não saber quem sou, simplesmente me ouça: eu sou cristão. Mas se o senhor deseja conhecer meus ensinamentos sobre o cristianismo, marque o dia e conceda-me uma audiência.

[2] O procônsul disse:

— Tente persuadir o povo.

Mas Policarpo respondeu:

— O senhor, eu devo considerar digno de um relatório, pois nós aprendemos a honrar, como se deve, os governantes e as autoridades nomeadas por Deus, desde que isso não nos cause nenhum dano; mas no que diz respeito a essa gente, eu não a considero digna de um discurso em minha defesa.

11 Mas o procônsul disse:

— Tenho feras selvagens. Se você não mudar de ideia, vou entregá-lo a elas.

Mas Policarpo disso:

— Pode chamá-las. Pois o arrependimento do que é melhor para o que é pior não nos é permitido; mas é nobre mudar do que é errado para o que é correto.

[2] E novamente disse-lhe o procônsul:

— Se despreza as feras selvagens, farei que você seja consumido pelo fogo, a menos que mude de ideia.

Mas Policarpo disse:

— O fogo com que o senhor me ameaça queima apenas durante uma hora e logo se apaga; mas o senhor não conhece o fogo do julgamento futuro e o castigo eterno que está reservado para os ímpios. Mas por que essa demora? Vamos, faça o que quiser.

12 E tendo dito essas coisas além de muitas outras, ele se sentiu inspirado de coragem e alegria, e seu rosto estava cheio de graça, de modo que ele não apenas não se abalou diante do que lhe foi dito, mas, pelo contrário, o procônsul ficou impressionado e enviou seu próprio arauto para o meio da arena a fim de proclamar três vezes: "Policarpo confessou que é cristão".

[2] Quando o arauto fez essa proclamação, toda a multidão de pagãos e judeus de Esmirna gritou com incontrolável raiva num grande alarido: "Este é o mestre da Ásia, o pai dos cristãos, o destruidor de nossos deuses, que ensina muitos a não oferecer sacrifícios e cultos de adoração".

Assim eles se expressavam, gritando e pedindo que o asiarca Felipe soltasse um leão contra Policarpo. Mas ele disse que não podia fazer aquilo porque havia encerrado os esportes envolvendo feras. [3] Então eles decidiram gritar em coro pedindo que Policarpo fosse queimado vivo. Pois era necessário que se cumprisse a visão que ele havia tido enquanto orava, em que seu travesseiro se punha em chamas; foi quando ele se dirigiu aos fiéis que o acompanhavam, dizendo:

— Eu vou ser queimado vivo.

13 Então essas coisas aconteceram com tal rapidez, mais rápido do que se pode contar — a multidão com uma pressa enorme para recolher lenha e gravetos em oficinas e nos banhos, e os judeus particularmente zelosos, como de costume, em ajudar nessa tarefa. [2] Quando o fogo estava pronto, e Policarpo se havia despido de todas as roupas e desatado o cinto, ele tentou tirar seu calçado, embora já não estivesse habituado a fazê-lo porque cada um dos fiéis sempre competia com os outros para ver quem seria o primeiro a tocar seu corpo. Pois ele sempre fora honrado, mesmo antes do martírio, por sua vida santa. [3] Então, imediatamente, eles dispuseram ao redor dele o material preparado para a pira. E quando estavam prestes a também pregá-lo, ele disse:

— Deixem-me como estou. Pois aquele que me permite suportar o fogo também me dará forças para permanecer imóvel sobre a pira, sem a garantia que vocês desejam dos pregos.

14 Assim, eles não o pregaram, mas o amarraram. E com as mãos atadas atrás das costas, como um nobre carneiro retirado de um grande rebanho e preparado para o sacrifício, um holocausto pronto e aceitável a Deus, ele ergueu os olhos para o céu e disse:

— Senhor Deus Todo-poderoso, Pai de teu bem-amado e abençoado Servo Jesus Cristo, por meio do qual nós recebemos pleno conhecimento de ti, o Deus dos anjos e dos poderes e de toda a criação e de todas as espécies de justos que vivem na tua presença: [2] Eu te bendigo porque me consideraste digno deste dia e hora, para eu tomar meu lugar nas fileiras dos mártires, tomar minha parte na taça de Cristo, visando a ressurreição para a vida eterna da alma e do corpo na imortalidade do Espírito Santo; entre os quais eu possa ser recebido neste dia como um sacrifício rico e aceitável, exatamente como tu preparaste e revelaste de antemão e realizaste, tu que és o verdadeiro Deus sem nenhum dolo. [3] Por isso e por tudo eu te louvo, te bendigo, te glorifico, por intermédio do eterno Sumo Sacerdote celestial Jesus Cristo, teu amado Servo, por meio do qual a ti seja a glória com ele e o Espírito Santo agora e nas futuras eras. Amém.

15 E quando ele havia concluído o "amém" pondo fim a sua oração, os homens encarregados da fogueira atearam-lhe fogo. E quando a chama irrompeu, nós testemunhamos um milagre, nós a quem nos foi dado ver. E fomos preservados para relatar aos outros o que aconteceu. [2] Pois o fogo tomou a forma de um recinto abobadado, como uma vela inflada pelo vento, formando uma parede em volta do corpo do mártir. E lá estava ele no meio, não como carne ardendo, mas como pão assando ou como ouro e prata sendo refinado numa fornalha. E nós sentimos um aroma doce como o sopro de incenso ou de alguma preciosa especiaria.

16 Após um tempo, quando os homens malvados viram que seu corpo não podia ser consumido pelo fogo, ordenaram que um carrasco fosse até ele e o trespassasse com uma adaga. E quando ele o fez, [uma pomba e] uma grande quantidade de sangue saiu dele, de modo que o fogo se apagou e toda a multidão se maravilhou constatando tamanha diferença entre os descrentes e os eleitos. [2] E com certeza o admirabilíssimo Policarpo foi um desses [eleitos], em cujos dias entre nós mostrou-se um mestre e bispo apostólico e profético da Igreja Católica de Esmirna. De fato, cada declaração que saía de sua boca se cumpria e se cumprirá.

17 Mas aquele que é maldoso e ciumento, o adversário da estirpe dos justos, vendo a grandeza de seu martírio e de sua vida irrepreensível desde o início, e vendo como ele foi coroado com a coroa da imortalidade e arrebatou uma incontestável recompensa, tramou de tal forma que seu cadáver não pudesse ser levado por nós, embora muitos quisessem fazê-lo e viver ao lado de seu santo corpo. [2] Ele instigou Nicetas, o pai de Herodes e irmão de Alce, a pedir ao magistrado que não entregasse o corpo dele, dizendo que, “caso contrário, eles abandonarão o Crucificado e começarão a adorar este aqui”. Isso foi feito por instigação e insistência dos judeus, que também vigiavam quando nós íamos retirá-lo do fogo, não sabendo em sua ignorância que nós nunca podemos abandonar a Cristo, que padeceu para a salvação de todo o mundo daqueles que são salvos, o inocente pelos pecadores, e tampouco jamais podemos adorar nenhum outro. [3] Pois nós adoramos esse único Filho de Deus, mas amamos os mártires como discípulos e imitadores do Senhor, e eles o merecem, por sua insuperável devoção a seu próprio Rei e

Mestre. Que também nos caiba a sorte de sermos companheiros e colegas discípulos deles!

18 O capitão dos judeus, quando viu o espírito litigioso deles, colocou o corpo no meio da fogueira e o cremou, como era de costume. [2] Assim, nós depois recolhemos seus ossos, mais preciosos que pedras de grande valor e mais valiosos que ouro, e os guardamos num lugar adequado. [3] Lá o Senhor nos permitirá, na medida do possível, que nos reunamos em alegria e júbilo para celebrar o dia de seu martírio como seu aniversário de nascimento, em memória daqueles atletas que vieram antes, e treinando e preparando os que virão depois.

19 Esses são os fatos a respeito do bem-aventurado Policarpo, que, martirizado em Esmirna juntamente com outros doze de Filadélfia, sozinho se destaca ainda mais na memória de todos, de modo que se fala dele em toda parte, até entre pagãos. Ele não foi apenas um nobre mestre, mas também um distinto mártir, cujo martírio segundo o evangelho de Cristo todos desejam imitar. [2] Com sua paciente resistência ele superou o perverso magistrado e assim recebeu a coroa da imortalidade; e ele se rejubila com os apóstolos e todos os justos para glorificar a Deus, o Pai todo-poderoso, e bendizer nosso Senhor Jesus Cristo, o salvador de nossa alma e timoneiro de nosso corpo e pastor da Igreja Católica espalhada pelo mundo inteiro.

20 Vocês, na verdade, pediram que esses fatos lhes fossem relatados mais detalhadamente, mas por ora fizemos um breve relato deles por meio de nosso irmão Marcião. Depois que tomarem conhecimento desses fatos, enviem esta carta aos irmãos de outras partes, para que eles também possam glorificar o Senhor, que faz suas escolhas entre seus próprios servos. [2] A ele que, por sua graça e generosidade, pode nos trazer seu reino eterno, por meio de seu Servo, o filho único Jesus Cristo, seja a glória, a honra, o poder, a majestade por todos os séculos. Saudações a todos os santos. Os que estão aqui conosco os saúdam, assim como Evaristo, que escreveu isto, com toda a sua família.

21 O bem-aventurado Policarpo foi martirizado no segundo dia da primeira parte do mês de Xântico, no sétimo dia antes das calendas de março, um grande sábado, às duas horas da tarde. Foi preso por Herodes, quando Felipe da Trália era sumo sacerdote e Estácio Quadrato procônsul, mas no eterno reino de nosso Senhor Jesus Cristo. A ele seja dada a glória, a honra, a majestade e o trono eterno, de geração em geração. Amém.

22 Felicidades, irmãos, a vocês que vivem de acordo com a palavra de Jesus Cristo segundo o evangelho, a quem seja dada glória a Deus Pai e ao Espírito Santo, para a salvação de seus santos eleitos. Assim como o bem-aventurado Policarpo sofreu o martírio, que nós também, seguindo suas pegadas, tenhamos a sorte de nos encontrar no reino de Jesus Cristo.

[2] Essas coisas copiou-as Gaio dos escritos de Ireneu, discípulo de Policarpo. Ele também conviveu com Ireneu. E Isócrates transcreveu tudo isso em Corinto a partir de uma cópia de Gaio. A graça esteja com todos vocês.

[3] Eu, Piônio, transcrevi este texto a partir da mencionada cópia, depois de procurá-la de acordo com uma revelação do bem-aventurado Policarpo, que me apareceu, como vou explicar em seguida. Junto tudo isso que já estava quase desfeito pelo tempo, a fim de que o Senhor Jesus Cristo possa me levar com seus eleitos a seu reino celestial. A ele seja dada a glória com o Pai, o Filho e o Espírito Santo pelos séculos dos séculos. Amém.

Outro epílogo, do manuscrito de Moscou

23 Essas coisas copiou-as Gaio dos escritos de Ireneu. Ele também conviveu com Ireneu, que fora discípulo do santo Policarpo. [2] Pois esse Ireneu, na época do martírio do bispo Policarpo, estava em Roma e tinha muitos alunos; e muitos de seus excelentes e ortodoxos escritos estão em circulação, e eles mencionam Policarpo, de quem Ireneu foi discípulo. Com habilidade ele refutou todas as heresias e transmitiu os preceitos eclesiásticos e católicos, tais como os recebera do santo. [3] Ele também diz o seguinte: certa vez, quando o santo Policarpo se encontrou com

Marcião, que deu o nome aos marcionitas, Marcião lhe disse: "Você nos conhece, Policarpo?", ao que Policarpo respondeu: "Eu conheço você; conheço o primogênito de Satanás". [4] E este fato também é mencionado nos escritos de Ireneu, que no dia e na hora em que Policarpo foi martirizado em Esmirna, Ireneu, estando na cidade de Roma, ouviu uma voz como a de uma trombeta dizendo: "Policarpo sofreu o martírio".

[5] Desses escritos de Ireneu, então, como dissemos antes, Gaio fez uma cópia, e dessa cópia Isócrates fez outra em Corinto. E eu, Piônio, novamente, a partir das cópias de Isócrates, escrevi de acordo com a revelação do santo Policarpo, quando a procurei e a resgatei quase desfeita pelo tempo, a fim de que o Senhor Jesus Cristo possa me levar com seus eleitos a seu reino celestial. A ele seja dada a glória com o Pai, o Filho e o Espírito Santo pelos séculos dos séculos. Amém.

A Didaquê

A doutrina dos doze apóstolos, comumente denominada A Didaquê

O TEXTO

O ensinamento do Senhor para os pagãos pelos doze apóstolos.

1 Há duas vias: uma da vida, outra da morte; e entre as duas há uma grande diferença.

[2] Ora, este é o caminho da vida: "Primeiro, você deve amar a Deus que o criou, e em segundo lugar, amar ao próximo como a si mesmo" (Mt 22.37-39). E tudo aquilo que você não quer que façam contra você, você não deve fazer contra outros.

[3] O que essas máximas nos ensinam é o seguinte: "Abençoe os que o amaldiçoam" e "ore por aqueles que o maltratam" (Lc 6.28). Mais ainda, jejue por aqueles que o perseguem. Pois que mérito tem você se amar aqueles que o amam? Esse não é o modo de agir dos pagãos?. Mas você deve amar os que o odeiam, e assim não terá inimigos. [4] Abstenha-se de certas paixões carnais. "Se alguém o ferir na face direita, ofereça-lhe também a outra", e você será perfeito (Mt 5.39). "Se alguém o forçar a caminhar uma milha, vá com ele duas"; se alguém quiser roubar-lhe "a túnica, deixe que ele leve também a capa" (Mt 5.40-42). Se alguém lhe tirar sua propriedade não a peça de volta. (De qualquer modo, você não se sairia bem!) [5] "Dê a todo aquele que lhe pedir, e não lhe exija que o devolva" (Lc 6.30). Pois o Pai quer que suas dádivas sejam compartilhadas por todos. Feliz é o homem que dá como lhe ordenam os mandamentos, pois ele é inocente! Mas ai do homem que recebe! Se receber por estar necessitado, será inocente. Mas se ele não

estiver necessitado, terá de submeter-se a um julgamento para se saber por que recebeu sua dádiva e para que finalidade. Ele será lançado no cárcere e terá sua atuação investigada; e "não sairá de lá até pagar o último centavo" (Mt 5.26). [6] De fato, há outro ditado relacionado com esse: "Deixe sua doação suar em suas mãos até você saber a quem entregá-la" (cit. n.i.).

2 O segundo mandamento da doutrina: [2] "Não matarás; não adulterarás"; não corromperás meninos; não fornicarás; "não furtarás"; não praticarás a magia; não te envolverás em bruxaria; não assassinarás uma criança pelo aborto nem matarás um infante; "não cobiçarás a casa do teu próximo", [3] não cometerás perjúrio; "não darás falso testemunho"; não caluniarás; não alimentarás ressentimentos (Êx 20.13-17); [4] não serás inconstante ou falso, pois uma língua falsa é uma "armadilha mortal" (Pv 21.6); [5] tuas palavras não serão desonestas ou vazias, mas sim confirmadas pela ação; [6] não serás ganancioso, ou extorsionário, ou hipócrita, ou malicioso, ou arrogante; não tramarás contra o próximo; [7] não odiarás ninguém, mas reprovarás alguns, orarás por outros, e ainda amarás outros mais que a tua própria vida.

3 Meu filho, fuja de toda malícia e de todas as coisas dessa espécie. [2] Não seja irritável, pois a ira gera o assassinato. Não seja ciumento ou contencioso, ou impetuoso, pois tudo isso gera o assassinato.

[3] Meu filho, não seja lascivo, pois a lascívia gera a fornicação. Não faça uso de linguagem suja ou maliciosa, pois tudo isso gera o adultério.

[4] Meu filho, não seja um adivinho, pois isso leva à idolatria. Não seja um feiticeiro, ou um astrólogo, ou um mago. Além disso, não deseje observar essas práticas ou prestar atenção a elas, pois tudo isso gera a idolatria.

[5] Meu filho, não seja mentiroso, pois a mentira leva ao furto. Não seja avaro ou vaidoso, pois tudo isso gera o roubo.

[6] Meu filho, não seja um resmungão, pois o resmungar leva à blasfêmia. Não seja teimoso ou malvado, pois tudo isso gera a blasfêmia.

[7] Seja humilde, pois "os humildes herdarão a terra" (Mt 5.5). Seja paciente, misericordioso, inofensivo, calado e bom; e sempre tenha respeito pela doutrina que recebeu. Não se dê ares de superioridade e não se entregue à presunção. Não ande com os grandes e poderosos, mas com os justos e humildes. Aceite tudo o que lhe acontecer como algo bom, dando-se conta de que nada ocorre sem a participação de Deus.

4 Meu filho, dia e noite você deve se lembrar daquele que lhe prega a palavra de Deus, e honre-o como se fosse o Senhor. Pois onde a natureza do Senhor é discutida, ali o Senhor está presente. [2] Todos os dias você deve buscar a companhia dos santos para desfrutar uma conversa agradável. [3] Você não deve começar uma facção, mas reconciliar os que se desentenderam. Julgue com justiça. Você não deve privilegiar ninguém na reprovação de transgressões. [4] Você não deve ser falso em suas decisões.

[5] Não seja alguém que estende a mão para receber, mas a fecha quando se trata de dar. [6] Se seu trabalho trouxe lucros, pague um resgate por seus pecados. [7] Não hesite em dar e não dê de má vontade; pois você vai descobrir quem é aquele que retribui uma recompensa de bom grado. [8] Não vire às costas aos necessitados, mas compartilhe tudo com seu irmão e não rotule nada como propriedade sua. Pois se você compartilha o que é eterno, com muito mais motivo deve compartilhar o que é transitório!

[9] Não negligencie sua responsabilidade em relação a seu filho ou sua filha, mas desde a juventude você deve ensinar-lhes a reverenciar a Deus. [10] Não seja rude ao dar ordens a seus escravos. Não dê ordens com raiva a suas empregadas e escravas. Elas depositam suas esperanças no mesmo Deus que você, e o resultado pode ser que elas deixem de reverenciar a Deus por causa disso. Pois quando ele vier nos chamar, não levará em conta nossa condição, mas chamará aqueles que o Espírito tornou preparados. [11] Vocês, escravos, devem por sua vez obedecer a seus patrões com reverência e temor, como se eles representassem Deus.

[12] Você deve odiar toda hipocrisia e tudo o que não for do agrado de Deus. [13] Você não deve abandonar os mandamentos

de Deus, mas observar os que recebeu, não acrescentando nem retirando nada. [14] Nas reuniões da igreja você deve confessar seus pecados, e não se apresentar para a oração com a consciência pesada. Esse é o caminho da vida.

5 Mas o caminho da morte é o seguinte. Em primeiro lugar, estas ações são perversas e totalmente blasfemas: assassinatos, adultérios, atos lascivos, fornicações, furtos, idolatrias, artes mágicas, bruxaria, roubos, falso testemunho, hipocrisias, duplicidade, engano, arrogância, malícia, teimosia, ganância, conversa torpe, inveja, insolência, orgulho, ostentação.

[2] Aqueles que perseguem gente honesta, que odeiam a verdade, que amam as mentiras, que ignoram a recompensa da retidão, que não se apegam ao que é bom e ao que é justo, e que não estão atentos ao bem, mas ao mal: a gentileza e a paciência estão longe deles. Eles amam ilusões, visam o lucro, não têm compaixão pelos pobres, não se empenham em prol dos oprimidos, ignoram seu Criador, assassinam crianças, corrompem a imagem de Deus, dão as costas aos necessitados, defendem os ricos, condenam injustamente os pobres e são totalmente perversos. Meus filhos, que vocês não se envolvam com nada disso!

6 Cuidado para que ninguém os engane e os desvie desse caminho da doutrina, pois os ensinamentos de alguém desse tipo são ímpios.

[2] Se suportarem perfeitamente o jugo do Senhor, vocês serão perfeitos. Mas se não conseguirem, então façam o que lhes for possível.

[3] Agora sobre comida: experimentem o que puderem. Mas evitem rigorosamente o que for oferecido a ídolos, pois isso implica adoração a deuses mortos.

7 Agora sobre o batismo: esta é a maneira de batizar. Deem instruções em público sobre todos estes pontos, e depois "batizem" em água corrente, em nome do Pai e do Filho e do Espírito Santo. [2] Se vocês não dispuserem de água corrente, batizem com alguma outra água. [3] Se não dispuserem de água fria, usem água quente. Se não dispuserem nem de uma nem de outra, então derramem água três vezes na cabeça [do batizando] "em nome do Pai e do Filho e do Espírito Santo" (Mt 28.19). [4]Além disso, antes do batismo, o que batiza e o que vai ser batizado devem jejuar, e todos os outros que puderem também o façam. E vocês devem pedir ao que vai ser batizado para jejuar por um ou dois dias antes do batismo.

8 Seus jejuns não devem ser idênticos aos dos hipócritas. Eles jejuam às segundas e quintas; mas você deve jejuar às quartas e sextas.

[2]Vocês não devem orar como os hipócritas, mas orem assim, como o Senhor nos manda fazer em seu evangelho: "Pai nosso, que estás no céu! Santificado seja o teu nome. Venha o teu Reino; seja feita a tua vontade, assim na terra como no céu. Dá-nos hoje o nosso pão de cada dia. Perdoa as nossas dívidas, assim como perdoamos aos nossos devedores. E não nos deixes cair em tentação, mas livra-nos do mal, porque teu é o poder e a glória para sempre" (Mt 6.9-13). [3] Vocês devem orar dessa maneira três vezes ao dia.

9 Agora sobre a eucaristia. Esta é a forma de dar graças: [2]primeiro, em relação ao cálice: "Pai nosso, nós te agradecemos a santa vinha de Davi, teu filho, que tu revelaste por meio de Jesus, teu filho. A ti seja dada a glória para sempre".

[3]Depois, em relação ao pão partido: "Pai nosso, nós te agradecemos a vida e o conhecimento que tu nos revelaste por meio de Jesus, teu filho. A ti seja dada a glória para sempre. [4] Como este pedaço de pão estava espalhado pelas colinas e depois foi recolhido e unificado, permite que assim a tua Igreja seja reunida desde os confins da terra no teu Reino. Pois tua é a glória e o poder por meio de Jesus Cristo para sempre".

[5]Vocês não podem permitir que alguém coma ou beba de sua eucaristia, exceto os batizados em nome do Senhor. Pois referindo-se a isso disse o Senhor: "Não deem o que é sagrado aos cães" (Mt 7.6).

10 Depois de terminar a refeição, deem graças desta maneira: [2]"Nós te agradecemos, Pai santo, teu nome sagrado que plantaste em nosso coração e o conhecimento e a fé e a imortalidade que revelaste por meio de Jesus, teu filho. A ti seja a glória para sempre. [3] Mestre onipotente, tu criaste todas as coisas em benefício de teu nome, e deste aos homens comida e bebida à vontade para que eles possam te agradecer. Mas a nós tu nos deste um alimento e uma bebida espirituais e a vida eterna por meio de Jesus, teu filho. [4] Acima de tudo, nós te agradecemos o fato de seres poderoso. A ti seja a glória para sempre. [5] Lembra-te, Senhor, da tua Igreja, para salvá-la do mal e torná-la perfeita por teu amor. Santifica-a e reúne-a dos quatro ventos em teu Reino que para ela preparaste. Pois teu é o poder e a glória para sempre. [6] Que venha a Graça e que este mundo acabe. Hosana ao Deus de Davi! Se alguém for santo, que venha. Se não for, que se arrependa. Nosso Senhor, vem! Amém".

[7] No caso dos profetas, porém, vocês devem permitir-lhes dar graças à maneira deles.

11 Assim, vocês devem acolher qualquer um que apareça em seu caminho e lhe ensinar tudo o que acabamos de dizer. Não deem atenção a um renegado que, ensinando de outro modo, contradiz tudo isso. [2] Mas se o ensinamento dele promover a justiça e o conhecimento do Senhor, recebam-no como ao Senhor.

[3] Agora, no que se refere aos apóstolos e profetas: ajam seguindo o preceito do evangelho. [4] Acolham cada apóstolo a sua chegada, como se ele fosse o Senhor. [5] Mas ele não deve ficar mais que um dia. Porém, em caso de necessidade, mais outro dia também. Se ele ficar três dias, é um falso profeta. [6] Na partida, um apóstolo não pode aceitar nada, exceto a comida suficiente para deslocar-se até seu próximo alojamento. Se pedir dinheiro, ele é um falso profeta.

[7] Enquanto um profeta estiver fazendo seus pronunciamentos extáticos, vocês não devem testá-lo ou examiná-lo. Pois "todo pecado será perdoado" (Mt 12.31). [8] Todavia, nem todo aquele que faz pronunciamentos extáticos é um profeta, mas apenas o que se comporta como o Senhor. É por sua conduta que se pode distinguir um profeta falso de um verdadeiro.

[9] Por exemplo, se um profeta, movido pelo Espírito, mandar preparar uma mesa, ele não deve servir-se dela. Se o fizer, é um falso profeta. [10] Igualmente, todos os profetas que ensinam a verdade, mas não praticam o que pregam, são falsos profetas. [11] Mas todo profeta genuíno e testado que age visando simbolizar o mistério da Igreja, e não lhes ensina a fazer tudo o que ele faz, não deve ser julgado por vocês. O julgamento dele cabe a Deus. Pois os antigos profetas também agiram dessa maneira. [12] Mas se alguém disser no Espírito: "Deem-me dinheiro, ou alguma outra coisa", vocês não devem dar-lhe ouvidos. Todavia, se alguém lhes disser para doar a outros que estão necessitados, ninguém deve condená-lo.

12 Todo aquele que se aproximar de vocês em nome do Senhor deve ser acolhido. Depois, quando o tiverem testado, vocês descobrirão quem é ele, pois vocês têm a percepção do certo e do errado. [2] Se quem chegar for um viajante, ajudem-no de todas as formas possíveis. Mas ele não deve permanecer com vocês por mais que dois dias, ou, se necessário, três. [3] Se quiser morar com vocês e for um artesão, ele deve trabalhar para seu sustento. [4] Se, todavia, ele não tiver um ofício, usem seu critério ao tomar a sua decisão permitindo que ele more com vocês como cristão sem ser um desocupado. [5] Caso se recuse a fazer isso, ele estará comercializando Cristo. Vocês devem ficar prevenidos contra esse tipo de gente.

13 Cada profeta genuíno que quer morar com vocês tem direito a seu sustento. [2] De modo semelhante, um mestre genuíno, como qualquer "trabalhador, é digno de seu sustento" (Mt 10.10). [3] Portanto, tomem todas a primícias da vindima e da colheita, e do gado bovino e das ovelhas, e ofereçam-nas aos profetas. Pois eles são seus sumos sacerdotes. [4] Se, todavia, vocês não tiverem nenhum profeta, ofereçam-nas aos pobres. [5] Se vocês fizerem pão, tomem as primícias e ofereçam-nas segundo o preceito. [6] De modo semelhante, quando vocês abrirem um cântaro de vinho ou de azeite, tomem as primícias e ofereçam-nas aos profetas. [7] De fato, de seu dinheiro, das roupas e de todas as suas posses, tomem as primícias que considerarem justas e ofereçam-nas de acordo com o preceito.

14 Em cada Dia do Senhor — o dia dele especial — reúnam-se, partam o pão e rendam graças, primeiro confessando seus pecados, para que seu sacrifício seja puro. [2] Quem estiver em litígio com seu vizinho não deve juntar-se a vocês antes de se reconciliar, para que o sacrifício de vocês não seja manchado. [3] Pois foi desse tipo de sacrifício que o Senhor disse: "Em toda parte incenso é queimado e ofertas puras são trazidas ao meu nome, porque grande é o meu nome entre as nações, diz o SENHOR dos exércitos" (Ml 1.11).

15 Vocês devem, portanto, eleger seus bispos e diáconos que honrem ao Senhor, homens gentis, generosos, fiéis e bem testados. Pois o ministério deles em relação a vocês é idêntico ao dos profetas e mestres. [2] Não devem, portanto, desprezá-los, pois juntamente com os profetas e mestres eles ocupam um lugar de honra entre vocês.

[3] Além disso, não desaprovem uns aos outros com raiva, mas discretamente, como vocês constatam no evangelho. Mais ainda, se alguém tiver cometido uma injustiça contra seu vizinho, ninguém deve falar com ele, e ele não deve ouvir uma palavra da boca de vocês até que se arrependa. [4] Façam suas orações, façam sua caridade e façam tudo exatamente como vocês constatam no evangelho de nosso Senhor.

16 Vigiem sua vida pessoal; não deixem que "suas candeias" se apaguem e não se deixem apanhar desprevenidos; mas "estejam prontos", pois "vocês não sabem o dia em que virá o seu Senhor" (Lc 12.35; Mt 24.42). [2] Reúnam-se com frequência em busca do que é bom para sua alma, porque uma vida inteira de fé de nada lhes adiantará, se vocês não se mostrarem perfeitos até o fim. [3] Pois nos últimos dias surgirão multidões de falsos profetas e sedutores. [4] Ovelhas se transformarão em lobos, e amor em ódio. Pois com a evolução da iniquidade os homens se odiarão e perseguirão, uns traindo os outros. E então o enganador do mundo aparecerá disfarçado de Filho de Deus. Ele realizará grandes sinais e maravilhas, e a terra cairá em suas mãos e ele cometerá indignidades como nunca antes aconteceram. [5] Então a humanidade terá sua prova de fogo e muitos ficarão escandalizados e perecerão, mas "aquele que perseverar até o fim" em sua fé "será salvo" pelo próprio Amaldiçoado (Mt 24.13). [6] Então aparecerão os sinais da Verdade: primeiro o sinal de mãos estendidas no céu, depois o sinal de um clangor de trombeta, e em terceiro lugar, a ressurreição dos mortos, embora não de todos os mortos, [7] mas como se disse: "O Senhor virá e com ele todos os santos. Então o mundo verá o Senhor vindo sobre as nuvens do céu" (Zc 14.5; 1Ts 3.13; Mt 24.30).

O Pastor de Hermas

Primeiro livro — Visões

Primeira visão
Contra pensamentos sujos e orgulhosos, e a negligência de Hermas em castigar seus filhos

Capítulo 1

Aquele que me criou me vendeu a uma certa Rosa de Roma. Muitos anos depois disso, eu a reconheci e comecei a amá-la como irmã. Algum tempo mais tarde, eu a vi banhando-se no rio Tibre, e lhe dei a mão e a retirei do rio. A visão de sua beleza me fez pensar: "Eu seria um homem feliz se pudesse arranjar uma mulher tão bonita e tão boa como ela". Esse foi o único pensamento que me passou pela cabeça: isso e nada mais. Pouco tempo depois, estava eu a caminho da aldeia, enaltecendo as criaturas de Deus e pensando em como eram magníficas e belas e poderosas, quando caí no sono. E o Espírito me arrebatou e me levou para um lugar descampado por onde homem algum poderia viajar, pois se situava no meio de rochas. Era escabroso e inviável devido à água. Tendo atravessado um rio, cheguei a uma planície. Eu então caí de joelhos e comecei a orar ao Senhor e a confessar meus pecados. E enquanto eu orava, os céus se abriram, e pude ver a mulher que eu havia desejado saudando-me lá do céu e dizendo:

— Olá, Hermas!

E erguendo para ela os olhos, eu disse:

— Senhora, que faz aí?

E ela me respondeu:

— Eu fui trazida aqui para o alto a fim de acusá-lo de seus pecados diante do Senhor.

— Senhora — disse eu —, você será a promotora de minha acusação?

— Não — disse ela —, mas ouça as palavras que vou lhe dizer. Deus, que mora nos céus, e do nada criou todas as coisas que existem, e as multiplicou e ampliou por causa de sua santa Igreja, está zangado com você por ter pecado contra mim.

Eu lhe respondi:

— Madame, eu pequei contra a senhora? Como ou quando eu lhe dirigi uma palavra inconveniente? Não pensei sempre na senhora como sendo uma madame? Acaso não a respeitei sempre como uma irmã? Por que falsamente me acusa dessa maldade e impureza?

Com um sorriso, ela respondeu:

— O desejo da maldade surgiu em seu coração. Será que sua opinião não é que um homem justo comete pecado quando um mau desejo surge em seu coração? Há pecado nesse caso, e o pecado é grande — disse ela —, pois os pensamentos de um homem justo devem ser justos. Pois, pensando honradamente, seu caráter fica estabelecido nos céus, e ele conta com a misericórdia do Senhor em todos os seus afazeres. Mas aqueles que alimentam maus pensamentos em sua mente estão trazendo sobre si mesmos a morte e o cativeiro; e isso especialmente é o que acontece com aqueles que fixam suas paixões neste mundo, e se orgulham de suas riquezas e não sonham com as bênçãos da vida futura. Pois muitas serão suas lamentações; pois eles perderam a esperança em si mesmos e na vida. Mas, por favor, ore a Deus, e ele curará seus pecados e os pecados de toda a sua família e de todos os santos.

Capítulo 2

Depois que ela havia proferido essas palavras, os céus se fecharam. Dominado pela dor e pelo medo, eu disse a mim mesmo: "Se esse pecado me for imputado, como posso me salvar e como vou aplacar Deus por meus pecados, que são da natureza mais grave? Com que palavras pedirei ao Senhor que seja misericordioso comigo?". Enquanto pensava nessas coisas, discutindo-as mentalmente, eu vi diante de mim uma cadeira branca, feita da lã, de grande tamanho. E surgiu uma mulher idosa, vestindo um esplêndido manto e com um livro nas mãos. Sentando-se sozinha, ela me cumprimentou:

— Olá, Hermas!

E tomado de tristeza e com lágrimas nos olhos eu lhe disse:

— Olá, Senhora!

E ela me disse:

— Por que está deprimido, Hermas? Você costumava ser paciente e comedido e sempre sorria. Por que está tão abatido em vez de estar contente?

Eu lhe respondi e disse:

— Minha Senhora, eu fui censurado por uma mulher muito bondosa, que diz que eu pequei contra ela.

E veio a resposta:

— Que não se atribua uma ação semelhante a um servo de Deus. Mas talvez um desejo em relação a ela tenha surgido no fundo de seu coração. Tal sentimento, no caso dos servos de Deus, produz o pecado. Pois num espírito todo puro e já provado é um sentimento pecaminoso e horrível desejar uma ação má, sobretudo quando se trata de Hermas, ele que se abstém de desejos perversos e está repleto de simplicidade e de grande inocência.

Capítulo 3

— Deus, porém, não está zangado por causa disso, mas quer que você converta sua família, que cometeu iniquidades contra o Senhor e contra você, que é o pai deles. E mesmo amando seus filhos, você ainda não advertiu sua família, mas permitiu que eles fossem terrivelmente corrompidos. Por esse motivo o Senhor está zangado com você, mas ele o curará dos males que você praticou em sua casa. Pois, devido aos pecados e iniquidades deles, você foi destruído pelas ocupações deste mundo. Mas agora a misericórdia do Senhor se apiedou de você e sua família, e o fortalecerá e o firmará em sua glória. Evite apenas ser simplório, mas anime-se e conforte sua família. Pois como um ferreiro trabalha com golpes de martelo e consegue o que quer, assim a conversa diária íntegra vencerá toda iniquidade. Não deixe, portanto, de admoestar seus filhos; pois eu sei que, se eles se arrependerem de todo o coração, serão inscritos nos livros da vida com os santos.

Tendo dito essas palavras, ela acrescentou:

— Você gostaria de ouvir uma leitura minha?

Eu lhe respondi:

— Gostaria, minha Senhora.

— Ouça então, e dê ouvidos às glórias de Deus.

E então ouvi dela, de modo magnífico e admirável, coisas que minha memória não conseguiu reter. Pois todas as palavras eram terríveis, tais quais homem algum poderia suportar. As últimas palavras, porém, eu guardei na memória; pois essas eram úteis para nós, e suaves: "Veja, o Deus dos poderes, por seu invisível e forte poder e grande sabedoria criou o mundo, e por seu glorioso plano envolveu a criação em beleza, e por sua forte palavra fixou os céus e lançou as fundações da terra sobre as águas, e por sua própria sabedoria e providência criou sua única santa Igreja, que ele abençoou. Veja! Ele remove os céus e as montanhas, as colinas e os mares, e todas as coisas se tornam planas para seus eleitos, a fim de que ele possa conceder-lhes a bênção que lhes prometeu, com muita glória e júbilo, se eles simplesmente observarem os mandamentos de Deus que com grande fé receberam".

Capítulo 4

Quando ela havia terminado a leitura, levantou-se da cadeira, e vieram quatro jovens que levaram a cadeira e foram embora em direção ao oriente. E ela me chamou para junto de si e tocou-me o peito e disse:

— Você gostou de minha leitura?

E eu lhe respondi:

— Senhora, as últimas palavras me agradaram, mas as primeiras são cruéis e duras.

Então ela me disse:

— As últimas são para os justos; as primeiras são para os pagãos e os apóstatas.

E enquanto ela falava comigo, dois homens apareceram e a ergueram sobre os ombros, e eles foram para onde a cadeira se encontrava no oriente. Com semblante alegre ela se afastou; e enquanto se afastava me disse:

— Comporte-se como um homem, Hermas.

Segunda visão
Novamente sobre sua negligência em castigar a mulher tagarela e os filhos lascivos, e sobre seu caráter

Capítulo 1

Estava eu indo para o campo mais ou menos na mesma hora em que o fizera no ano anterior, quando me lembrei da visão daquela época. E novamente o Espírito me arrebatou e me levou para o mesmo lugar onde eu estivera um ano antes. Chegando lá, caí de joelhos e comecei a orar ao Senhor e a glorificar seu nome, porque ele me considerara digno e me fizera conhecer meus pecados anteriores. Ao levantar-me após a oração, vejo diante de mim aquela senhora idosa que vira um ano antes, caminhando e lendo um livro. E ela me perguntou:

— Você pode fazer um relato destas coisas para os eleitos de Deus?

Eu lhe digo:

— Senhora, tudo isso eu não posso guardar na memória, mas me empreste o livro, e eu vou transcrevê-lo.

— Tome-o — disse ela — e devolva-me depois.

Então peguei o livro e, retirando-me para determinada parte do campo, o transcrevi inteiro, letra por letra; mas as sílabas eu não entendi. Mal, porém, havia terminado a transcrição do livro, quando de repente ele foi arrancado de minhas mãos; mas quem o arrancou eu não vi.

Capítulo 2

Quinze dias mais tarde, depois de eu haver jejuado e orado muito ao Senhor, o conhecimento da escrita me foi revelado. Pois bem, a escrita era neste sentido: "Sua prole, Hermas, pecou contra Deus, e eles blasfemaram contra o Senhor, e em sua grande maldade traíram seus pais. E eles passaram por traidores de seus pais, e por sua traição não obtiveram lucros. E até mesmo agora a seus pecados eles têm adicionado atos lascivos e iníquas contaminações, e assim suas iniquidades se completaram. Mas torne essas palavras conhecidas de todos os seus filhos e de sua mulher, que será sua irmã. Pois ela não controla a língua, com a qual comete iniquidades; mas ao ouvir estas palavras ela se controlará e conseguirá misericórdia. Pois depois que você lhes der a conhecer estas palavras que meu Senhor me mandou revelar a você, então eles serão perdoados de todos os pecados que no passado cometeram, e o perdão será concedido a todos os santos que houverem pecado até o dia presente, se de todo o coração se arrependerem e expulsarem de sua mente as dúvidas. Pois o Senhor jurou por sua glória, em relação a seus eleitos, que se um deles pecar após determinado dia que foi estabelecido, esse não será salvo. Pois o arrependimento dos justos tem limites. Esgotados estão os dias de arrependimento para todos os santos; mas para os pagãos, o arrependimento será possível até o último dia. Você, portanto, pedirá aos que presidem a Igreja que dirijam seus pés no caminho da justiça para que possam receber plenamente as promessas com grande glória. Permaneçam firmes, portanto, vocês que trabalham com a justiça e não duvidem de que sua passagem poderá ser acompanhada pelos santos anjos. Felizes são vocês que suportam a grande tribulação que está por vir, e felizes são aqueles que não negarão a própria vida. Pois o Senhor jurou por seu Filho que aqueles que negaram o Senhor abandonaram a vida em desespero, pois até mesmo agora esses vão negá-lo nos dias que estão por vir. Com aqueles que o negaram em tempos anteriores, Deus se tornou benevolente, por conta de sua excessiva e terna misericórdia."

Capítulo 3

"Mas quanto a você, Hermas, não se lembre das injustiças cometidas por seus filhos, nem deixe de dar atenção a sua irmã, para que eles possam obter a purificação de seus pecados. Pois eles receberão a instrução correta se você não guardar na memória as injustiças que cometeram contra você. Pois a lembrança de injustiças sofridas causa a morte. E você, Hermas, suportou grandes tribulações pessoais por causa das transgressões de sua família porque não cuidou dela, mas foi negligente e se envolveu em suas transações perversas. Mas você está salvo porque não se afastou do Deus vivo e graças a sua simplicidade e grande autocontrole. Essas qualidades o salvaram, mas você deve continuar perseverante. E elas salvarão todos os que agem da mesma maneira e caminham na inocência e simplicidade. Os que possuem essas virtudes se sentirão fortes contra todas as formas de maldade e permanecerão na vida eterna. Bem-aventurados são todos os que praticam a justiça, pois eles nunca serão destruídos. Sendo assim, diga a Máximo: Veja! A tribulação está avançando. Se lhe parecer bem, renegue de novo. O Senhor está perto daqueles que voltam para ele, como está escrito em Eldade e Medade, que profetizaram para o povo no deserto."

Capítulo 4

Ora, meus irmãos, uma revelação me foi feita enquanto eu dormia, por um jovem de bela aparência, que me disse:

— Quem você acha que é aquela senhora idosa de quem você recebeu o livro?

E eu disse:

— A Sibila.

— Você está errado — disse ele. — Não é a Sibila.

— Então quem é? — disse eu.

E ele respondeu:

— É a Igreja.

E eu lhe disse:

— Por que, então, ela era tão idosa?

— Porque — disse ele — foi criada antes de todas as coisas. Por isso ela é idosa. E por causa dela o mundo foi criado.

Depois disso eu tive uma visão em minha casa, e aquela senhora idosa veio e me perguntou se eu já havia entregado o livro aos presbíteros. E eu disse que não. E então ela disse:

— Fez bem, pois eu tenho algumas palavras a acrescentar. Mas quando eu tiver terminado todas as palavras, todos os eleitos as conhecerão por seu intermédio. Você, portanto, fará dois livros: um enviará para Clemente e o outro para Grapta. E Clemente enviará o seu para outros países, pois lhe foi dada permissão para agir assim. E Grapta admoestará as viúvas e os órfãos. Mas você lerá as palavras nesta cidade, juntamente com os presbíteros que administram a Igreja.

Terceira visão
Sobre a construção da Igreja triunfante, e as várias classes de homens réprobos

Capítulo 1

A visão que eu tive, meus irmãos, foi da seguinte natureza. Tendo jejuado com frequência e orado pedindo ao Senhor que me mostrasse a revelação que ele prometera me mostrar por meio daquela senhora idosa, na mesma noite ela me apareceu e disse:

— Visto que você está tão ansioso e quer tanto saber de todas as coisas, vá para aquela parte do campo onde você costuma se deter; por volta da hora quinta eu lhe aparecerei e lhe mostrarei tudo o que você deve ver.

Eu lhe fiz uma pergunta, dizendo:

— Senhora, para que ponto do campo devo ir?

E ela disse:

— Para qualquer ponto de sua preferência.

Então escolhi um ponto adequado e me retirei. Antes, porém, que começasse a falar e mencionasse o lugar, ela me disse:

— Eu irei para onde você preferir.

Sendo assim, fui para o campo contando as horas e cheguei ao lugar onde havia prometido me encontrar com ela. E eu vi um assento de marfim já preparado, e sobre ele uma almofada feita de linho, e sobre a almofada estava estendida uma toalha de linho puro. Vendo isso tudo preparado, e no entanto não havendo ninguém por ali, comecei a sentir pavor e, por assim dizer, um tremor tomou conta de mim e fiquei de cabelo em pé e, por assim dizer, horrorizado, quando vi que eu estava só. Mas quando me recompus e me lembrei da glória de Deus, tomei coragem, caí de joelhos e novamente confessei meus pecados a Deus como havia feito antes. Nesse momento a senhora idosa se aproximou, acompanhada por seis homens jovens que eu também vira antes. E ela se postou atrás de mim, e me ouviu enquanto eu orava e confessava meus pecados ao Senhor. E tocando-me, disse:

— Hermas, pare de ficar sempre orando por seus pecados; ore pela justiça, para que você possa conseguir parte dela imediatamente em sua casa.

Dizendo isso, ela me tomou pela mão e me conduziu para o assento e disse aos jovens:

— Comecem a construir.

Quando os jovens haviam se afastado, e nós estávamos sós, ela me disse:

— Sente-se aqui.

Eu lhe disse:

— Senhora, permita que os mais velhos se sentem antes.

— Faça o que eu lhe mandar — disse ela. — Sente-se.

Quando eu quis me sentar a sua direita, ele não me permitiu, mas com um aceno da mão mandou-me sentar a sua esquerda. Enquanto pensava sobre isso, e sentindo-me chateado por ela não ter permitido que me sentasse a sua direita, ela disse:

— Você está chateado, Hermas? O lugar à direita é para outros que já agradaram a Deus e sofreram pelo nome dele; e você ainda tem muito a conquistar antes de poder sentar-se com eles. Mas permaneça como agora em sua simplicidade, e você se sentará com eles, e com todos os que fazem o que eles fizeram e suportam o que eles suportaram.

Capítulo 2

— Que suportaram eles? — disse eu.

— Ouça — disse ela. — Açoites, prisões, grandes tribulações, cruzes, feras selvagens, pelo nome de Deus. Por conta disso a eles é atribuída a distinção da santificação à mão direita, e a todos os que sofrerão pelo nome de Deus: aos outros é atribuída a distinção à mão esquerda. Mas tanto para os que se sentam à direita quanto para os que se sentam à esquerda os prêmios e as promessas são os mesmos; mas só os que se sentam à direita desfrutam de alguma glória. Você então deseja muito sentar-se à direita com eles, mas suas falhas são muitas. Mas você será purificado; e todos aqueles que não se entregam a dúvidas serão purificados de suas iniquidades até o dia de hoje.

Dizendo isso, ela fez menção de ir embora. Mas, caindo a seus pés, eu lhe implorei pelo Senhor que me mostrasse a visão que me prometera mostrar. E então ela novamente me segurou pela mão e me ergueu, fazendo-me ocupar o assento a sua esquerda. E erguendo uma esplêndida varinha, me disse:

— Você não está enxergando alguma coisa grande?

E eu disse:

— Minha Senhora, não enxergo nada.

Ela me disse:

— Olhe! Você não enxerga ali adiante uma grande torre, construída sobre as águas, com esplêndidas pedras quadradas?

Pois a torre construída pelos seis jovens que vieram com ela era quadrada. Mas milhares de homens estavam carregando pedras para a torre, alguns arrastando-as das profundezas, outros removendo-as da terra, e eles as entregavam a esses seis jovens. Eles as iam tomando e construindo; e as pedras que eram arrancadas das profundezas eram usadas na construção exatamente como estavam: pois elas eram polidas e se encaixavam exatamente nas outras pedras, e ficavam tão unidas umas às outras que as linhas das junções eram imperceptíveis. E desse modo a construção da torre parecia feita de uma única pedra. As pedras, porém, que eram retiradas da terra tinham um destino diferente, pois os jovens rejeitavam algumas delas, outras eram encaixadas na construção e algumas eram cortadas e atiradas para longe da torre. Muitas outras pedras, porém, jaziam ao redor da torre, e os jovens não as utilizavam na construção, pois algumas eram ásperas, outras apresentavam rachaduras, outras eram pequenas demais e outras eram brancas e redondas, mas não se encaixavam na construção da torre. Além dessas, vi outras pedras atiradas para longe da torre e caindo na estrada; contudo, elas não permaneciam na estrada, mas eram roladas para um lugar intransitável. E vi outras caindo no fogo e queimando; outras caindo perto da água e, no entanto, não conseguindo rolar para dentro da água, embora quisessem ser roladas para baixo e cair na água.

Capítulo 3

Depois de mostrar-me essas visões, ela quis se retirar. Eu lhe disse:

— De que me adianta ter visto tudo isso, se não sei o que significa?

Ela me respondeu:

— Você é um sujeito esperto, querendo saber tudo o que se relaciona com a torre.

— Exatamente, minha Senhora — disse eu —, para que possa contar tudo a meus irmãos, a fim de que, ouvindo essas coisas, eles possam conhecer o Senhor em sua grande glória.

E ela disse:

— Muitos de fato ouvirão, e ouvindo alguns vão se alegrar e alguns vão chorar. Mas mesmo estes, se ouvirem e se arrependerem, também vão se rejubilar. Ouça, portanto, as parábolas da torre; pois as vou revelar a você, e não me importune mais acerca de revelação: porque essas revelações têm um fim, já foram completadas. Mas você não deixará de orar pedindo revelações, porque é desavergonhado. A torre que viu em construção sou eu mesma, a Igreja, que lhe apareci agora e numa ocasião anterior. Pergunte, então, tudo o que quiser acerca da torre, e eu o revelarei, para que você possa rejubilar-se com os santos.

Eu lhe disse:

— Visto que a Senhora se digna revelar-me tudo de uma vez, revele tudo.

Ela me disse:

— Tudo o que deve ser revelado será revelado. Simplesmente deixe que seu coração esteja com Deus, e não duvide de nada do que vir.

Eu lhe perguntei:

— Por que a torre foi construída sobre as águas, minha Senhora?

Ela respondeu:

— Já lhe disse antes, e você ainda indaga com cuidado: assim, a indagação descobrirá a verdade. Ouça então por que a torre está construída sobre as águas. É porque sua vida foi e será salva por meio da água. A torre foi fundada sobre a palavra do onipotente e glorioso Nome e se mantém unida graças ao invisível poder do Senhor.

Capítulo 4

Em resposta, eu lhe disse:

— Isso é magnífico e maravilhoso. Mas quem são os seis homens que se ocupam da construção?

E ela disse:

— Esses são os santos anjos de Deus, que foram criados primeiro e a quem o Senhor entregou toda a sua criação, para que eles possam aumentar, construir e governá-la inteira. Por eles será concluída a construção da torre.

— Mas quem são as outras pessoas que se ocupam em carregar as pedras?

— Elas também são santos anjos do Senhor, mas os seis primeiros são superiores a eles. A construção da torre será concluída, e todos se rejubilarão ao redor dela, glorificando a Deus porque a torre está acabada.

Eu lhe perguntei, dizendo:

— Senhora, eu gostaria de saber o que aconteceu com as pedras. O que significam seus vários tipos?

Em resposta, ela me disse:

— Não é porque você é mais digno que os outros que esta revelação deve ser-lhe feita, pois há outros antes de você, e melhores, a quem essas visões deveriam ter sido reveladas, mas para que o nome de Deus possa ser glorificado, a você foi feita a revelação, e servirá para que aqueles que duvidam e ponderam em seu coração se essas coisas acontecerão ou não. Diga-lhes que todas essas coisas são verdadeiras e que nenhuma delas vai além da verdade. Todas são sólidas e seguras e se baseiam numa fundamentação robusta.

Capítulo 5

— Ouça agora sobre as pedras que entram na construção. As pedras brancas quadradas que se encaixaram perfeitamente umas nas outras são os apóstolos, bispos, mestres e diáconos, que viveram na pureza e piedade, atuando como bispos, mestres e diáconos de modo casto e respeitoso para com os eleitos de Deus. Alguns deles já adormeceram, outros ainda continuam vivos. E eles sempre concordaram entre si e conviveram em paz, uns ouvindo os outros. Por isso eles se juntam com precisão na construção da torre.

— Mas quem são as pedras que foram arrancadas das profundezas e, usadas na construção, se encaixaram nas outras pedras já utilizadas na torre?

— Essas são aqueles que sofreram pelo Senhor.

— Mas eu gostaria de saber, minha Senhora, quem são aquelas outras pedras que foram retiradas da terra.

— Aquelas — disse ela — que entram na construção sem polimento são os que Deus aprovou, pois eles caminharam pelos caminhos retos do Senhor e praticaram seus mandamentos.

— Mas quem são aqueles que estão no processo de serem trazidos e encaixados na construção?

— São os que são jovens na fé e são fiéis. Mas eles são incentivados pelos anjos a praticar o bem, pois neles não foi achada nenhuma iniquidade.

— Quem são aqueles que foram rejeitados e descartados?

— Esses são aqueles que pecaram e desejam se arrepender. Por isso, eles não foram atirados para longe da torre, porque ainda podem tornar-se úteis, caso se arrependam. Aqueles, então, que se arrependerem, serão fortes na fé, se o fizerem agora que a torre está em construção. Pois se a construção for concluída, não haverá mais espaço para ninguém, só rejeição. Esse privilégio, porém, só caberá àquele que agora foi colocado perto da torre.

Capítulo 6

— Quanto às pedras que foram cortadas e atiradas para longe da torre, você quer saber quem são elas? São os filhos da iniquidade, e eles acreditaram na hipocrisia, e a maldade não os abandonou. Por essa razão eles não são salvos, porque não podem ser usados na construção devido à ira do Senhor, pois eles despertaram sua ira. Mas vou lhes explicar as pedras que você viu amontoadas em grande quantidade e não sendo usadas na construção. Aquelas que são ásperas são os que conheceram a verdade e não permaneceram nela nem se juntaram aos santos. Por isso, são inadequadas para o uso.

— Quem são aquelas que apresentam rachaduras?

— Essas são aqueles que em seu coração alimentam a discórdia entre si e não estão em paz consigo mesmos. Eles de fato estão em paz estando uns com os outros, mas quando se separam seus pensamentos maldosos permanecem em seu coração. Essas são então as rachaduras que aparecem nas pedras. Mas as pedras que são menores são aqueles que de fato acreditaram e têm uma participação maior na justiça; no entanto, também têm uma participação considerável na iniquidade; por isso são menores e não inteiras.

— Mas quem são essas, Senhora, que são brancas e redondas e mesmo assim não são encaixadas na construção da torre?

Ela respondeu e disse:

— Por quanto tempo você será tolo e obtuso e continuará fazendo todo tipo de pergunta sem nada entender? Essas são aqueles que tiveram fé de fato, mas também possuem as riquezas deste mundo. Quando, portanto, vem a tribulação, devido a suas riquezas e negócios, eles negam o Senhor.

Eu respondi e lhe disse:

— Quando, nesse caso, serão elas úteis para a construção, Senhora?

— Quando as riquezas que agora os seduzem tiverem sido limitadas, então eles serão úteis para Deus. Pois como uma pedra redonda não pode tornar-se quadrada se partes dela não forem cortadas e descartadas, assim os ricos deste mundo não podem ser úteis para o Senhor se suas riquezas não forem cortadas. Aprenda isso primeiro com base em seu próprio caso. Quando você era rico, era inútil; mas agora você é útil e se encaixa na vida. Seja útil para Deus, pois você também será usado como uma dessas pedras.

Capítulo 7

— Ora, as outras pedras que você viu longe da torre e jogadas na estrada, rolando para fora dela e caindo em lugares intransitáveis, essas são aqueles que de fato acreditaram, mas pela dúvida abandonaram o caminho verdadeiro. Pensando então que poderiam encontrar um caminho melhor, eles andaram ao léu e acabaram na desgraça, enveredando por lugares intransitáveis. Mas aquelas que caíram no fogo e se queimaram são aqueles que abandonaram para sempre o Deus vivo; e tampouco lhes ocorre em seu íntimo a ideia do arrependimento, devido a seu apego aos prazeres lascivos e aos crimes que cometeram. Você quer saber quem são as outras pedras que caíram perto da água, mas que não conseguiram rolar para dentro dela? Essas são aqueles que ouviram a palavra e desejam ser batizados no nome do Senhor, mas quando se lembram da castidade exigida pela verdade, recuam e voltam a seguir seus próprios desejos pecaminosos.

Ela terminou sua exposição sobre a torre. Mas eu, não sentindo vergonha alguma, perguntei-lhe:

— O arrependimento é possível para todas aquelas pedras que foram descartadas e não se encaixaram na construção da torre, e elas terão lugar nela?

— O arrependimento — disse ela — ainda é possível, mas nesta torre eles não encontram um lugar adequado. Mas serão colocados noutro lugar bem inferior, e isso também apenas depois de serem torturados e terem completado os dias de seus pecados. E por isso eles serão transferidos, porque têm algo da Palavra justa. E só então serão afastados de seus castigos, quando a ideia do arrependimento das más ações praticadas por eles houver entrado em seu coração. Mas se ela não entrar ali, eles não serão salvos, devido à insensibilidade de seu coração.

Capítulo 8

Quando então parei de perguntar sobre todos esses fatos, ela me disse:

— Você gostaria de ver mais alguma outra coisa?

E como eu estava extremamente ansioso de ver algo mais, meu rosto brilhou de alegria. Ela me olhou sorrindo e disse:

— Você está vendo sete mulheres em volta da torre?

— Estou, Senhora — disse eu.

— Esta torre — disse ela — é sustentada por elas segundo o preceito do Senhor. Ouça agora suas funções. A primeira delas, a que está juntando as mãos, se chama Fé. Por meio dela são salvos os eleitos de Deus. Outra, a que tem suas vestes arregaçadas e age com vigor, chama-se Continência. Ela é a filha da Fé. Quem, portanto, seguir a vontade dela sente-se feliz na vida, porque se absterá de todas as más ações, crendo que, se ela evitar todos os maus desejos, herdará a vida eterna.

— Mas e as outras? — disse eu. — Quem são elas, minha Senhora?

E ela me respondeu:

— São filhas umas das outras. Uma delas se chama Simplicidade, outra Inocência, outra Castidade, outra Inteligência e a última Caridade. Quando, portanto, você pratica todas as obras da mãe delas, você estará habilitado a viver.

— Minha Senhora, eu gostaria de saber — disse eu — que poder tem cada uma delas.

— Ouça — disse ela — o poder que elas têm. Seus poderes são mutuamente regulados e se sucedem na ordem de seu nascimento. Pois da Fé nasce a Continência; da Continência, a Simplicidade; da Simplicidade, a Inocência; da Inocência, a Castidade; da Castidade, a Inteligência; e da Inteligência, a Caridade. As ações delas, portanto, são puras, castas e divinas. Quem se dedicar a elas e conseguir se ater firmemente a suas obras terá sua morada na torre com os santos de Deus.

Depois, perguntei a ela sobre os tempos, se agora chegamos ao fim. Ela emitiu um alto brado:

— Homem tolo! Você não vê que a torre ainda está em construção? Quando a torre estiver acabada e construída, então chegará o fim; e eu lhe asseguro que ela estará logo acabada. Não me faça mais perguntas. Que você e todos os santos se contentem com o que chamei a sua memória e com a minha renovação de seu espírito. Mas observe que não é só em seu proveito que você obteve todas essas revelações, mas elas lhe foram transmitidas para que você possa mostrá-las a todos. Pois após três dias, e você deve cuidar para não se esquecer disso, eu quero que transmita todas as palavras que estou dizendo a seus ouvidos para os ouvidos dos santos, para que, ouvindo-as e pondo-as em prática, eles possam ser purificados de suas iniquidades, e você juntamente com eles.

Capítulo 9

— Meus Filhos, ouçam-me! Eu os criei em grande simplicidade, inocência e castidade, por causa da misericórdia do Senhor, que sobre vocês fez cair sua justiça, para que possam tornar-se justos e santos, isentos de todas as suas iniquidades e depravações. Agora, portanto, prestem atenção e vivam em paz uns com os outros, visitem-se mutuamente, cada um carregue o fardo do outro e não usufruam as criaturas de Deus sozinhos, mas doem boas quantidades delas aos necessitados. Pois alguns, por meio da abundância de sua comida, produzem a fraqueza do corpo e assim o corrompem; enquanto o corpo de outros que não têm comida é corrompido por sua alimentação insuficiente. E por isso seus corpos se desgastam. Essa intemperança na alimentação é assim ofensiva para vocês que têm abundância e não distribuem nada entre os necessitados. Fiquem atentos ao julgamento que está por vir. Vocês, portanto, que ocupam uma posição importante, procurem os famintos enquanto a torre ainda não está acabada; pois depois que ela estiver acabada, vocês desejarão fazer o bem, mas não terão nenhuma oportunidade. Fiquem atentos, portanto, vocês que se vangloriam de sua riqueza, para evitar que os gemidos dos necessitados subam até o Senhor, e vocês sejam deixados com todos os seus bens do lado de fora da porta da torre. Por isso agora digo a vocês que presidem a Igreja e gostam de ocupar os primeiros assentos: não sejam como os boticários. Pois os boticários transportam suas drogas em caixas, mas vocês carregam sua droga e veneno no coração. Vocês estão endurecidos e não desejam purificar seu coração; e juntando unidade de propósito à pureza de coração vocês podem obter a misericórdia do grande Rei. Fiquem atentos, portanto, meus filhos, para que essas suas dissensões não os privem de sua vida. Como vocês vão instruir os eleitos do Senhor, se vocês mesmos não têm instrução? Instruam-se, portanto, uns aos outros e vivam em paz entre vocês mesmos para que eu também, apresentando-me alegre diante de seu Pai, possa prestar contas de todos vocês a seu Senhor.

Capítulo 10

Quando ela terminou de falar comigo, aqueles seis homens jovens que estavam ocupados na construção vieram e a levaram para a torre, e outros quatro ergueram o assento e também o levaram para a torre. O rosto desses últimos eu não vi, pois estavam virados para o lado oposto. E enquanto ela se afastava, pedi-lhe que me revelasse o significado das três formas em que ela me apareceu. Em resposta ela me disse:

— Sobre elas, você deve pedir a outro que lhe revele seu significado.

Pois ela me aparecera, irmãos, na primeira visão no ano anterior sob a forma de uma senhora extremamente idosa, sentada numa cadeira. Na segunda visão, sua face era jovial, mas a pele e os cabelos acusavam a idade, e ela permaneceu de pé enquanto falava comigo. Ela também estava mais jovial do que na primeira ocasião. Mas na terceira visão ela era inteiramente jovem e perfeitamente bela, excetuando-se apenas que tinha os cabelos de uma idosa; mas seu rosto resplandecia de alegria, e ela estava sentada. Agora eu me sentia muito triste em relação a essas aparições, e ansiava por desvendar o significado dessas visões. E então vejo a senhora idosa numa visão noturna, dizendo-me:

— Todas as orações devem ser acompanhadas de humildade. Jejue, portanto, e você obterá do Senhor o que suplicar.

Eu jejuei, portanto, por um dia.

Naquela noite apareceu-me um jovem, que disse:

— Por que você frequentemente pede visões em sua oração? Tome cuidado para que, pedindo muitas coisas, não venha a prejudicar seu corpo: dê-se por satisfeito com essas revelações. Você será capaz de ver revelações maiores do que aquelas que já viu?

Eu lhe respondi, dizendo:

— Meu senhor, uma única coisa eu peço, que a revelação possa ser completa no que diz respeito a essas três formas.

Ele me respondeu:

— Por quanto tempo você será insensato? Mas suas dúvidas o tornam insensato porque seu coração não está voltado para o Senhor.

Mas eu respondi e lhe disse:

— De sua parte, senhor, nós vamos aprender essas coisas de modo mais exato.

Capítulo 11

— Ouça então — disse ele — o que diz respeito às três formas sobre as quais vocês está investigando. Por que na primeira visão ela lhe apareceu como uma senhora idosa sentada numa cadeira? Porque seu espírito está agora velho e mirrado e perdeu sua força em consequência de suas enfermidades e dúvidas. Pois, como os senhores idosos que não têm esperança de renovar seu vigor e não têm nenhuma expectativa, a não ser seu derradeiro sono, assim você, debilitado pelas ocupações mundanas, se entregou à indolência e não depositou suas preocupações no Senhor. Seu espírito, portanto, está alquebrado e ficou envelhecido em suas tristezas.

— Eu gostaria então de saber, meu senhor: por que ela estava sentada na cadeira?

Ele respondeu:

— Porque todas as pessoas debilitadas se sentam numa cadeira devido a sua fraqueza, de modo que essa fraqueza possa ser sustentada. Eis a explicação da primeira visão.

Capítulo 12

— Agora, na segunda visão você a viu de pé com um semblante jovial e mais alegre do que antes. Mas ela ainda tinha a pele e os cabelos de uma senhora idosa. Entenda — disse ele — também essa parábola. Quando alguém se torna um pouco velho, ele se desespera por causa de sua debilidade e pobreza, e não espera nada do futuro, a não ser os últimos dias de sua vida. Então de repente alguém lhe deixa uma herança: e ao saber disso ele se anima, sente-se muito alegre e ganha energia. E agora ele já não fica deitado, mas de pé, e seu espírito, já destruído por ações anteriores, é renovado e ele já não fica sentado, mas age com vigor. Assim aconteceu com você ao ouvir a revelação que Deus lhe fez. Pois o Senhor se compadeceu de você e lhe renovou o espírito, e você abandonou suas enfermidades. O vigor surgiu dentro de você, e você ficou forte na fé; e o Senhor, vendo sua força, se rejubilou. Por causa disso, ele lhe mostrou esta construção da torre, e lhe mostrará outras coisas se vocês continuarem em paz uns com os outros de todo o coração.

Capítulo 13

— Agora, na terceira visão, você a viu ainda mais jovem, e ela era nobre e alegre, e sua figura era bela. Pois, exatamente como quando algumas boas notícias chegam de repente para alguém que está triste, ele de imediato se esquece da tristeza anterior e nada mais enxerga, a não ser as boas notícias recebidas, e torna-se forte para todo o sempre, e seu espírito é renovado por causa da alegria que recebeu; assim você recebeu a renovação de seu ânimo vendo essas coisas boas. Quanto à visão em que ela lhe apareceu ocupando seu assento, isso significa que a posição dela é uma posição de força, porque um assento tem quatro pés e é firme. Pois o mundo também se mantém unido por meio dos quatro elementos. Aqueles, portanto, que se arrependem completamente e de todo o coração se tornarão jovens e firmemente estabelecidos. Você agora tem toda a revelação esclarecida. Não peça mais revelações. Se alguma coisa tiver de ser revelada, lhe será revelada.

Quarta visão
Relativa à provação e à tribulação que estão prestes a surpreender a humanidade

Capítulo 1

Vinte dias depois da visão anterior, outra visão eu tive, meus irmãos — uma representação da tribulação que está por vir. Eu estava me dirigindo para uma casa de campo pela Via Campana. Ora, a casa ficava a uns dois quilômetros da estrada. Essa região é raramente atravessada. E visto que eu caminhava só, orei pedindo ao Senhor que completasse as revelações que ele me fizera por meio de sua santa Igreja, que me fortalecesse e concedesse arrependimento a todos os seus servos que estavam se desgarrando, que seu nome pudesse ser glorificado por ele ter-se dignado mostrar-me suas maravilhas. E enquanto eu o glorificava e lhe agradecia, uma voz, por assim dizer, me respondeu:

— Não duvide, Hermas.

E eu comecei a pensar comigo mesmo e a dizer: "Que razão tenho para duvidar, eu que tenho recebido a confirmação do Senhor e tenho desfrutado de visões tão esplêndidas?". Avancei um pouco, irmãos, e eis que vejo o pó se elevando até os céus. Comecei a dizer a mim mesmo: "Será que há uma boiada se aproximando e levantando o pó?". Isso acontecia a uns duzentos metros de distância. E eis que vejo o pó subindo cada vez mais, de modo que imaginei que era algo enviado por Deus. Mas agora o sol apareceu um pouco, e eis que vejo uma fera semelhante a uma baleia, e de sua boca saíam gafanhotos de fogo, e sua cabeça era semelhante a uma urna. Comecei a chorar e a invocar o Senhor, pedindo que me resgatasse. Então me lembrei das palavras que havia ouvido: "Não duvide, Hermas". Revestido então, meus irmãos, de fé no Senhor, e lembrando-me de grandes coisas que ele me havia ensinado, eu corajosamente enfrentei a fera. Ora, aquela fera investiu com tal alarido e vigor que poderia ter destruído uma cidade. Eu cheguei perto dela, e a monstruosa fera se estendeu sobre o chão e mostrou apenas a língua, sem se mover até eu ter passado por ela. Ora, a cabeça da fera tinha quatro cores — preto, depois cor de fogo e sangue, depois dourado e por fim branco.

Capítulo 2

Ora, depois que eu havia passado pela fera selvagem e tinha avançado uns dez metros, eis que uma virgem veio a meu encontro, adornada como se tivesse saído dos aposentos de uma noiva, totalmente vestida de branco, calçando sandálias brancas, com um véu que a cobria até a fronte e com um capuz sobre a cabeça. E seus cabelos eram brancos. Eu sabia, devido a minhas visões anteriores, que essa era a Igreja, e me senti mais alegre. Ela me saudou, dizendo:

— Olá, Hermas!

E eu lhe retribuí a saudação, dizendo:

— Olá, minha Senhora!

E ela respondeu e me disse:

— Nada atravessou seu caminho?

E eu respondi:

— Encontrei-me com uma fera tão grande que poderia aniquilar povos inteiros, mas pelo poder do Senhor e por sua grande misericórdia escapei dela.

— Muito bem, você escapou dela, porque entregou suas preocupações a Deus e abriu o coração ao Senhor, acreditando que você só pode ser salvo por seu grande e glorioso nome. Por causa disso, o Senhor enviou seu anjo, que tem o domínio dos animais e cujo nome é Tegri. Ele fechou a boca da fera de modo que ela não pode estraçalhá-lo. Você escapou de uma grande tribulação por causa de sua fé e porque não duvidou na presença dessa fera. Vá, portanto, e conte aos eleitos do Senhor os grandes feitos dele, e diga-lhes que essa fera é uma imagem da grande tribulação que está por vir. Se vocês se prepararem e se arrependerem de todo o coração e se voltarem para o Senhor, poderão escapar dela, se seu coração for puro e sem manchas, e se vocês passarem o resto de seus dias servindo ao Senhor de modo irrepreensível. Entreguem suas preocupações ao Senhor, e ele as administrará. Confiem no Senhor, vocês que duvidam, pois ele é onipotente e pode desviar de vocês sua ira e enviar açoites contra os que duvidam. Ai daqueles que ouvem estas palavras e as desprezam: melhor seria para eles não ter nascido.

Capítulo 3

Eu perguntei a ela sobre as quatro cores da cabeça da fera. E ela respondeu e me disse:

— Mais uma vez você se mostra curioso acerca dessas coisas.

— Sim, minha Senhora — disse eu. — Faça-me saber o que são elas.

— Ouça — disse ela. — O preto é o mundo no qual moramos: mas a cor de fogo e sangue mostra que o mundo deve perecer em sangue e fogo; mas a parte dourada são vocês que fugiram deste mundo. Pois como o ouro é testado pelo fogo, e assim se torna útil, assim são testados vocês que moram nele. Aqueles, portanto, que continuam firmes e têm de passar pelo fogo serão purificados por ele. Pois como o ouro se livra de sua escória, assim vocês se livrarão de toda tristeza e dificuldade e se tornarão tão puros que serão dignos de ser usados na construção da torre. Mas a parte branca é a época que está por vir, na qual viverão os eleitos de Deus, porque os eleitos de Deus para a vida eterna serão imaculados e puros. Por isso, não deixe de dizer essas coisas aos ouvidos dos santos. Essa então é a imagem da grande tribulação que está por vir. Se você quiser, nada acontecerá. Lembre-se daquelas coisas que foram escritas antes.

E dizendo isso, ela foi embora. Mas não vi para que lugar ela se retirou. Houve um ruído, porém, e eu me virei alarmado, pensando que aquela fera estava chegando.

Quinta visão
Acerca dos mandamentos

Depois de haver orado em casa e me sentado na cama, entrou um homem de aspecto glorioso, vestido como um pastor, com uma grande pele de cabra branca, uma sacola nas costas e empunhando um cajado. Ele me saudou, e eu retribuí a saudação. E de imediato ele se sentou a meu lado e me disse:

— Fui enviado pelo mais venerável anjo para morar com você pelo resto de sua vida.

Pensando que ele viera para me tentar, eu lhe disse:

— Quem é você? Pois eu conheço aquele a quem fui confiado.

Ele me disse:

— Você não me conhece?

— Não — disse eu.

— Eu — disse ele — sou o pastor a quem você foi confiado.

E enquanto ele falava, sua figura se transformou; e então eu soube que era aquele a quem eu fora confiado. E imediatamente me senti confuso, e o medo tomou conta de mim, e eu fui dominado por uma profunda tristeza por ter-lhe respondido de modo tão maldoso e insensato. Mas ele me respondeu, dizendo:

— Não se sinta confuso, mas receba força dos mandamentos que eu vou lhe dar. Pois fui enviado — disse ele — para lhe mostrar todas as coisas que você viu antes, especialmente aquelas que lhe são úteis. Antes de tudo, então, anote por escrito meus mandamentos e comparações, e depois as outras coisas que vou lhe mostrar. Para isso — disse ele — eu lhe ordeno que anote primeiro os mandamentos e as comparações, para que você os possa ler com facilidade e seja capaz de observá-los.

De acordo com isso, escrevi os mandamentos e as comparações, exatamente como ele me mandou fazer. Se então, quando vocês houverem ouvido essas coisas, as observarem e seguirem e caminharem nelas e as praticarem com mente pura, vocês receberão do Senhor tudo aquilo que ele lhes prometeu. Se depois de ouvi-las, porém, vocês não se arrependerem, mas continuarem a cometer mais pecados, então receberão do Senhor coisas opostas. Tôdas essas palavras ordenou-me o pastor, o anjo do arrependimento, que eu as escrevesse.

Segundo livro — Mandamentos

Primeiro mandamento
Sobre a fé em Deus

— Acima de tudo, acredite que existe um único Deus que criou e aperfeiçoou todas as coisas, e fez tudo do nada. Somente ele é capaz de conter o todo, mas ele mesmo não pode ser contido. Portanto, deposite nele sua fé e temor, e temendo-o, exercite o controle de si mesmo. Observe estes mandamentos. Se o fizer, você se livrará de toda maldade e se revestirá da força da justiça e viverá para Deus.

Segundo mandamento
Sobre evitar a maledicência e sobre dar esmolas com simplicidade

Ele me disse:

— Seja simples e inocente, e você será como as crianças que não conhecem a maldade que arruína a vida dos homens. Primeiro, então, não fale mal de ninguém, nem dê ouvidos com prazer a quem falar mal de outra pessoa. Mas se ouvir, não compartilhe o pecado de quem o fizer, se você acreditar que se trata de calúnia. Pois acreditando nela você será culpado do pecado do caluniador. A calúnia é um demônio perverso e volúvel. Ele nunca está em paz, mas sempre alimenta a discórdia. Mantenha-se longe disso, e sempre estará em paz com todo mundo. Revista-se de santidade na qual não há causa alguma de ofensa, mas todos os atos são equânimes e alegres. Pratique a bondade e, da recompensa que Deus lhe dá por seu trabalho, doe a todos os necessitados com simplicidade, sem hesitar perguntando-se a quem você deve ou não deve dar. Doe a todos, pois Deus deseja que suas dádivas sejam compartilhadas entre todos. Aqueles que as recebem prestarão contas a Deus dizendo por que e para que as receberam. Pois os aflitos que as receberem não serão condenados, mas aqueles que as receberem sob falsos pretextos serão punidos. Portanto, quem dá é inocente. Pois como ele recebeu do Senhor, assim ele realizou seu dever com simplicidade, sem hesitar perguntando-se a quem deveria ou não deveria dar. Esse serviço, então, se executado com simplicidade, é magnífico aos olhos de Deus. Aquele, portanto, que serve em simplicidade, viverá para Deus. Observe, então, estes mandamentos, como eu os transmiti a você, para que seu arrependimento e o arrependimento de sua casa possam ser vistos em sua simplicidade, e seu coração possa ser puro e sem manchas.

Terceiro mandamento
Sobre evitar a falsidade e sobre o arrependimento de Hermas por sua dissimulação

Outra vez ele me disse:

— Ame a verdade e não permita que nada, exceto a verdade, saia de sua boca, para que o espírito que Deus colocou em seu corpo possa ser identificado como verdadeiro diante de todos os homens; e o Senhor, que mora em você, será glorificado, porque o Senhor é verdadeiro em todas as palavras; nele não há falsidade. Aqueles, portanto, que mentem negam o Senhor e o roubam não lhe restituindo o depósito que receberam. Pois receberam dele um espírito isento de falsidade. Se lhe devolverem esse espírito mentiroso, eles profanam o mandamento do Senhor e tornam-se ladrões.

Ao ouvir essas palavras, chorei compulsivamente. Vendo-me chorar, ele me disse:

— Por que está chorando?

E eu disse:

— Porque, meu senhor, eu não sei se posso ser salvo.

— Por quê? — disse ele.

E eu disse:

— Porque, meu senhor, eu nunca proferi uma palavra verdadeira em minha vida, mas sempre falei astuciosamente com todos, afirmando a todos uma mentira em vez da verdade. E ninguém jamais me contradisse, mas todos sempre deram crédito a minha palavra. Como posso então viver, se agi dessa maneira?

E ele me disse:

— Seus sentimentos são de fato corretos e perfeitos, pois você como servo de Deus deveria trilhar o caminho da verdade, e não ter juntado uma consciência pesada com o espírito da verdade, nem ter causado tristeza ao santo e verdadeiro Espírito.

E eu lhe disse:

— Nunca, meu senhor, dei ouvidos a essas palavras com tanta atenção.

E ele me disse:

— Agora, escute-as e observe-as, para que até as mentiras que você antes contou em suas transações venham a ser acreditadas por meio da sinceridade de suas declarações atuais. Pois mesmo elas podem tornar-se dignas de crédito. Se você observar os preceitos e de agora em diante falar somente a verdade, poderá obter vida. E quem ouvir este mandamento e se afastar daquele grande mal que é a falsidade viverá para Deus.

Quarto mandamento
Sobre abandonar a esposa por adultério

Capítulo 1

— Eu lhe ordeno — disse ele — que guarde sua castidade e não permita que entre em seu coração nenhum pensamento sobre a mulher de outro homem, ou sobre fornicação, ou iniquidades semelhantes, pois agindo desse modo você comete um grande pecado. Mas se você sempre se lembrar de sua própria mulher, nunca pecará. Mas se esse outro pensamento entrar em seu coração, então você pecará. E se, de modo semelhante, você alimentar outros pensamentos maldosos, comete pecado. Pois esse pensamento é um grande pecado num servo de Deus. Mas se alguém cometer esse ato maldoso, ele causa a própria morte. Preste, portanto, atenção e evite esse pensamento. Pois onde mora a pureza, ali não deve entrar a iniquidade no coração do homem justo.

Eu lhe disse:

— Meu senhor, permita-me fazer algumas perguntas.

— Vá em frente — disse ele.

E eu lhe disse:

— Meu senhor, se alguém que confia no Senhor tiver uma esposa e a apanhar em adultério, esse homem peca se continuar convivendo com ela?

E ele me disse:

— Enquanto ele não souber do pecado dela, o marido não comete nenhuma transgressão nessa convivência. Mas se o marido souber que sua esposa se desencaminhou, e se essa mulher não se arrepender mas persistir em sua fornicação, e mesmo assim o marido continuar convivendo com ela, ele também é culpado desse crime, e compartilha o adultério.

E eu lhe disse:

— Que deve, num caso desse, fazer o marido, se sua mulher continuar em sua prática perversa?

E ele disse:

— O marido deve abandoná-la e ficar só. Mas se ele abandonar a mulher e se casar com outra, ele também comete adultério.

E eu lhe disse:

— E se a mulher abandonada viesse a se arrepender e desejasse voltar para o marido; ela não deve ser acolhida por ele?

E ele me disse:

— Seguramente. Se o marido não a aceitar de volta, ele peca e comete um grande pecado, pois ele deve receber a pecadora que volta arrependida. Mas não frequentemente. Pois há apenas um arrependimento para os servos de Deus. Se acaso, portanto, uma mulher divorciada vier a se arrepender, o marido não deve se casar com outra, quando sua esposa foi abandonada. Nessa questão, homem e mulher devem ser tratados exatamente da mesma maneira. Além disso, não cometem adultério apenas aqueles que profanam o corpo, mas também aqueles que imitam os pagãos em suas ações. Daí que se alguém persistir nesses atos sem se arrepender, afastem-se e deixem de conviver com ele, caso contrário vocês compartilham seu pecado. Por isso foi-lhes imposta a regra de procedimento: vocês devem permanecer isolados, tanto o homem como a mulher, pois nessas pessoas o arrependimento pode acontecer. Mas eu não ofereço — disse ele — nenhuma oportunidade para que esses atos ocorram; mas para que aquele que já pecou não peque mais. Já a respeito das transgressões anteriores, existe alguém que pode oferecer cura, porque ele, de fato, tem o poder sobre todas as coisas.

Capítulo 2

Eu lhe fiz outro pedido, dizendo:

— Uma vez que o Senhor se dignou morar sempre comigo, suporte-me enquanto profiro algumas palavras, pois eu não entendo nada, e meu coração ficou endurecido pelo meu modo de vida anterior. Conceda-me entendimento, pois sou muito obtuso e não entendo absolutamente nada.

E ele me respondeu e disse:

— Estou encarregado de cuidar do arrependimento e concedo inteligência a todos que se arrependem. Você não acha — perguntou ele — que o arrependimento é em si mesmo grande sabedoria? Pois arrepender-se é grande sabedoria, uma vez que aquele que pecou entende que agiu maldosamente diante do Senhor e se lembra das ações praticadas e se arrepende e já não age com maldade, mas pratica o bem com generosidade, e se humilha e atormenta a própria alma por ter pecado. Veja, portanto, que o arrependimento é grande sabedoria.

E eu lhe disse:

— Esse é o motivo de minhas perguntas, meu senhor: saber que obras devo praticar a fim de poder viver, pois meus pecados são muitos e variados.

E ele me disse:

— Você viverá se observar meus mandamentos e trilhar o caminho deles. E quem ouvir e observar esses mandamentos viverá para Deus.

Capítulo 3

E eu lhe disse:

— Gostaria de continuar minhas perguntas.

— Prossiga — disse ele.

E eu disse:

— Ouvi, meu senhor, alguns mestres afirmando que o único arrependimento é aquele que acontece quando entramos na água e recebemos a remissão de nossos pecados anteriores.

Ele me disse:

— Você ouviu uma doutrina perfeita, pois esse é exatamente o caso. Pois aquele que recebeu a remissão de seus pecados não deve mais pecar, mas viver na pureza. Uma vez, porém, que você diligentemente investiga todas as coisas, eu também lhe explicarei o seguinte, mas não para ensejar a possibilidade de erro para os que vão crer ou passaram a crer recentemente no Senhor. Pois aqueles que passaram agora a crer e os que virão a crer não têm o arrependimento para futuros pecados, mas sim a remissão dos pecados anteriores. Para aqueles que foram chamados antes destes tempos atuais, o Senhor estabeleceu arrependimento. Pois ele, conhecendo os corações e prevendo todas as coisas, conhecia a fraqueza dos homens e as multiformes ciladas do diabo que causariam algum mal aos servos de Deus e atuaria maldosamente contra eles. O Senhor, portanto, sendo misericordioso, teve compaixão da obra de suas próprias mãos e para suas criaturas estabeleceu o arrependimento, e a mim ele confiou o poder sobre o arrependimento. E por isso eu lhe digo que, se alguém for tentado pelo diabo e pecar após aquele grande e santo chamado, ele tem a oportunidade de se arrepender, mas apenas uma única vez. Mas se essa pessoa pecar com frequência depois disso, e em seguida se arrepender, seu arrependimento de nada vai lhe servir, pois ela dificilmente viverá.

E eu disse:

— Meu senhor, ouvindo atentamente esses mandamentos, sinto que a vida se refez em mim; pois eu sei que serei salvo, se já não mais pecar.

E ele disse:

— Você será salvo, junto com todos os que observam esses mandamentos.

E de novo lhe perguntei:

— Meu senhor, uma vez que o senhor foi tão paciente em me ouvir, pode também me mostrar mais uma coisa?

— Fale — disse ele.

E eu disse:

— Se uma esposa ou um esposo vier a morrer, e o viúvo ou a viúva se casar, ele ou ela comete algum pecado?

— Não é pecado casar-se de novo — disse ele. — Mas se eles não o fizerem, obtêm mais honra e glória perante o Senhor;

mas se casarem, não pecam. Preserve, portanto, sua castidade e pureza, e você viverá para Deus. Os mandamentos que estou lhe dando agora e os que vou lhe dar depois observe-os daqui em diante, a partir do dia em que você me foi confiado, e eu morarei em sua casa. E seus pecados anteriores serão perdoados, se você observar meus mandamentos. E perdoados serão todos aqueles que observam meus mandamentos e caminham nessa castidade.

Quinto mandamento
Da tristeza do coração e da paciência

Capítulo 1

— Seja paciente e compreensivo — disse ele — e você dominará toda maldade e praticará toda justiça. Pois se você for paciente, o Espírito Santo que mora em você será puro. Ele não será obscurecido por nenhum espírito do mal, mas, morando numa vasta região, ele se rejubilará e alegrará; e com o vaso no qual ele mora servirá a Deus com alegria, sentindo grande paz interior. Mas se alguma explosão da ira acontecer, imediatamente o Espírito Santo, que é delicado, sente-se constrangido por não dispor de um lugar puro e tende a ir embora. Pois ele é sufocado pelo espírito grosseiro e não consegue satisfazer os desejos do Senhor porque a ira o contamina. Pois o Senhor mora na resignação, mas o diabo na ira. Então, quando os dois espíritos ocupam a mesma morada, eles discordam um do outro, e tornam-se desagradáveis para o homem em quem moram. Pois se tomarmos um minúsculo pedaço de absinto e o pusermos dentro de um pote de mel, acaso o mel não é inteiramente contaminado? Será que esse minúsculo pedaço de absinto não elimina por inteiro a doçura do mel, de modo que esse produto já não oferece nenhuma satisfação a seu proprietário, mas fica amargo e perde sua propriedade? Mas se o absinto não for adicionado ao mel, então o mel permanece doce e útil para seu proprietário. Você vê, portanto, que a paciência é mais doce que o mel e útil para Deus, e nela mora o Senhor. Mas a ira é amarga e inútil. Ora, se a ira for misturada à paciência, a paciência é corrompida, e sua oração já não é útil perante Deus.

— Eu gostaria de conhecer, meu senhor — disse eu —, a força da ira, para poder me proteger dela.

E ele disse:

— Se você não se proteger dela, você e sua família vão perder toda esperança de salvação. Proteja-se, portanto, contra ela. Pois eu estou com você, e dela se afastam todos aqueles que se arrependem de todo o coração. Pois eu estarei com eles e a todos salvarei. Pois todos são justificados pelo santíssimo anjo.

Capítulo 2

— Ouça agora — disse ele — como é perversa a ação da ira, e de que forma ela derruba os servos de Deus com sua ação e os tira do caminho da justiça, mas não tira os que estão repletos de fé, nem os afeta, porque o poder do Senhor está com eles. São os insensatos e os que duvidam que ela desvia do caminho. Pois assim que vê esses homens firmes, ela se lança para dentro do coração deles e por uma razão insignificante o homem, ou a mulher, se torna amargurado por causa de acontecimentos comuns em seu dia a dia, como por exemplo, por causa da comida ou de alguma palavra supérflua que foi ouvida, ou por causa de algum amigo ou de algum presente ou dívida, ou algum caso insignificante. Pois todas essas coisas são tolas, vazias e inúteis para os servos de Deus. Mas a paciência é grande, poderosa, forte e calma em meio a grande expansão, alegre, jovial, despreocupada, sempre glorificando a Deus, isenta de toda amargura e portando-se continuamente com mansidão e calma. Ora, a paciência acompanha os que têm fé plena. Mas a ira é tola, volúvel e insensata. Ora, da tolice nasce a amargura, da amargura a ira e da ira a loucura. Essa loucura, produto de tantos males, termina num grande e incurável pecado. Pois quando todos esses espíritos moram num único vaso no qual também mora o Espírito Santo, o vaso não consegue contê-los todos, e extravasa. O delicado Espírito, então, não estando habituado a morar com o espírito perverso, nem com a insensibilidade, afasta-se de semelhante homem e procura sua morada na mansidão e no sossego. Então, quando ele deixa o homem no qual morava, o homem é esvaziado do Espírito justo; e ficando dali por diante repleto de espíritos perversos, ele se situa num estado de anarquia em todas as ações, sendo arrastado de um lado para outro pelos espíritos perversos, e reina uma completa escuridão em sua mente acerca de tudo o que é bom. Isso, portanto, é o que acontece a todos os irados. Por isso tudo, afaste-se daquele espírito extremamente perverso da ira, revista-se de paciência e resista à ira e à amargura, e você estará na companhia da pureza que é amada pelo Senhor. Tome, portanto, cuidado para não negligenciar de modo algum esse mandamento: pois, observando-o, será capaz do observar todos os outros que vou lhe dar. Seja forte, então, nestes mandamentos, e revista-se de poder e permita que todos se revistam de poder, todos os que desejam trilhar o caminho deles.

Sexto mandamento
Como reconhecer os dois espíritos que servem a cada ser humano e como distinguir as sugestões de um das sugestões de outro

Capítulo 1

— No primeiro mandamento — disse ele — eu lhe dei orientações para prestar atenção à fé, ao temor e à continência.

— Exatamente, meu senhor — disse eu.

E ele disse:

— Agora eu gostaria de lhe mostrar os poderes dessas virtudes, para que você possa conhecer o poder de cada uma delas. Pois seus poderes são duplos e têm uma relação igual com os justos e com os injustos. Confie, portanto, nos justos, mas não deposite nenhuma confiança nos injustos. Pois o caminho da justiça é reto, mas o da injustiça é tortuoso. Trilhe, porém, o caminho reto e plano, e não dê atenção ao tortuoso. Pois o caminho tortuoso não tem estradas, mas sim muitos lugares intransitáveis e pedras de tropeço, e é árduo e espinhoso. É prejudicial para os que caminham por ele. Mas aqueles que trilham a estrada reta caminham tranquilamente, sem tropeços, porque ela não é áspera nem espinhosa. Você vê, então, que é melhor trilhar essa estrada.

— Eu desejo seguir por essa estrada — disse eu.

— Você seguirá por ela — disse ele. — E por ela seguirá quem se volta para o Senhor de todo o coração.

Capítulo 2

— Ouça agora — disse ele — o que diz respeito à fé. Há dois anjos para cada homem: um é o da retidão, e outro é o da iniquidade.

E eu lhe disse:

— Como, senhor, posso conhecer os poderes desses anjos, pois ambos moram comigo?

— Ouça — disse ele — e entenda-os. O anjo da retidão é gentil e modesto, manso e pacífico. Quando, portanto, ele entra em seu coração, imediatamente fala com você de retidão, pureza, castidade, contentamento e de todas as ações justas e da gloriosa virtude. Quando tudo isso entra em seu coração, saiba que o anjo da retidão está com você. Essas são as ações do anjo da retidão. Confie nele, então, e em suas obras. Observe agora as obras do anjo da iniquidade. Primeiro, ele é furioso, amargo e tolo, e suas obras são más e arruínam os servos de Deus. Quando, então, ele entra em seu coração, reconheça-o por suas obras.

E eu lhe disse:

— Não sei como, meu senhor, vou reconhecê-lo.

— Ouça e entenda — disse ele. — Quando a ira ou a rispidez toma conta de você, saiba que ele está em você. E também saberá que esse é o caso quando você é tomado por certo anseio depois de muitas atividades, depois das mais saborosas guloseimas, de bebedeiras e diversas situações de lascívia e coisas impróprias; depois de desejar muitas mulheres, de cometer excessos, depois de muito orgulho e fanfarronice e de quaisquer outras coisas como essas. Quando essas coisas entrarem em seu coração, saiba que o anjo da iniquidade está em você. Agora que conhece suas obras, fuja delas e de modo algum confie nele, porque seus feitos são maus e inúteis para os servos de Deus. Essas, portanto, são as ações dos dois anjos. Entenda-as e confie no anjo da retidão, mas afaste-se do anjo da iniquidade, porque sua orientação é perversa em todos os atos. Pois mesmo que um ser humano seja muito fiel, se o pensamento deste anjo entrar em seu coração, esse homem ou essa mulher vai inevitavelmente pecar. Em contrapartida, por pior que um homem ou uma mulher seja, todavia, se as obras do anjo da justiça entrarem em seu coração, ele ou ela vai inevitavelmente praticar algo de bom. Veja, portanto, que é bom seguir o anjo da retidão, e dar adeus ao anjo da iniquidade. Este mandamento mostra as ações da fé, para que você possa confiar nas obras do anjo da retidão e, praticando-as, possa viver para Deus. Mas acredite que as obras do anjo da iniquidade são insuportáveis. Se as recusar, você viverá para Deus.

Sétimo mandamento
Sobre temer a Deus e não temer o diabo

— Tema ao Senhor — disse ele — e observe seus mandamentos. Pois se observar seus mandamentos você será forte em todas as suas ações, e cada uma delas será incomparável. Pois temendo ao Senhor você fará tudo bem feito. Esse é o temor que você deve ter, para que possa ser salvo. Mas não tema o diabo, porque temendo ao Senhor você dominará o diabo, pois nele não há poder. E aquele em quem não há nenhum poder não deve, de forma alguma, ser objeto de medo. Mas aquele em quem há um poder glorioso deve verdadeiramente ser temido. Pois todo aquele que tem poder deve ser temido, mas aquele que não tem poder é desprezado por todos. Tema, portanto, os feitos do diabo, pois eles são perversos. Pois temendo ao Senhor você não praticará esses feitos, mas deles se absterá. Pois há dois tipos de medo: se você não deseja fazer o que é perverso, tema ao Senhor, e você não o fará; mas, novamente, se você deseja fazer o que é bom, tema ao Senhor, e você o fará. Por isso, o medo do Senhor é forte, grande e glorioso. Tema, então, o Senhor, e você viverá para ele. E todos aqueles que temem a ele e observam seus mandamentos viverão para Deus.

— Por que — disse eu — o senhor disse, referindo-se aos que observam os mandamentos dele, que eles viverão para Deus?

— Porque — disse ele — toda a criação teme ao Senhor, mas nem toda a criação observa seus mandamentos. Só os que temem ao Senhor e observam seus mandamentos vivem com Deus. Mas quanto àqueles que não observam seus mandamentos, neles não há vida.

Oitavo mandamento
Devemos evitar o mal e praticar o bem

— Eu lhe disse — prosseguiu ele — que as criaturas de Deus são de dois tipos, pois a restrição também é dupla, porque em alguns casos a restrição tem de ser exercida, em outros não há necessidade de restrição.

— Faça-me saber, meu senhor — disse eu —, em quais casos a restrição tem de ser exercida e em quais se dá o contrário.

— Restrinja-se a si mesmo em relação ao mal, e não o pratique; mas não exerça nenhuma restrição em relação ao bem, e pratique-o. Pois, se você exercer alguma restrição na prática do bem, cometerá um grande pecado. Mas se você exercer alguma restrição de modo a não praticar o mal, você estará praticando grande justiça. Restrinja-se a si mesmo, portanto, em relação a toda iniquidade, e pratique o bem.

— Quais são — disse eu — as ações perversas das quais devemos nos restringir?

— Ouça — disse ele. — Restrinja-se do adultério e da fornicação, dos deleites ilegais, da perversa lascívia, do abuso de muitas espécies de comida e das extravagâncias da riqueza; da ostentação, da arrogância, da insolência, das mentiras, da maledicência, da hipocrisia, do ressentimento e de toda calúnia. Essas são as piores ações na vida dos homens. De todas essas ações, portanto, o servo de Deus deve restringir-se. Pois quem não se restringir delas não pode viver para Deus. Ouça, então, quais são as outras ações que as acompanham.

— Meu senhor, existem — disse eu — outras ações perversas?

— Existem — disse ele — e muitas, de fato, das quais o servo de Deus deve restringir-se: o furto, a mentira, o roubo, o falso testemunho, o exagero, o desejo perverso, a fraude, a vanglória, a ostentação e todos os outros vícios semelhantes a esses.

— O senhor não acha que esses são realmente perversos?

— São perversos ao extremo nos servos de Deus. De todos eles o servo de Deus deve restringir-se. Restrinja-se, então, de todos eles, para que você possa viver para Deus, e você estará na lista dos que se restringem em relação a essas coisas. Essas são, portanto, as coisas das quais você deve se restringir.

E disse ainda:

— Mas ouça quais são as coisas das quais você não precisa se restringir, mas que deve praticar. Não se restrinja do bem, mas pratique-o.

— Mas diga-me, senhor — disse eu —, qual é a natureza das boas ações, para que possa seguir no caminho delas e servi-las, de modo que, praticando-as, eu possa ser salvo.

— Ouça — disse ele — quais são as boas ações que você deve praticar e em relação às quais não se exige nenhuma restrição. Primeiro de tudo, a fé; depois, o temor do Senhor, o amor, a concórdia, as palavras da justiça, a verdade, a paciência. Nada existe melhor que essas coisas na vida dos homens. Quem as pratica e não se restringe delas, tem sua vida abençoada. Em seguida, há estas coisas a observar: ajudar viúvas, cuidar de órfãos e necessitados, resgatar os servos de Deus de suas necessidades, ser hospitaleiro, pois a hospitalidade é um campo para a prática do bem, nunca se opor a ninguém, manter-se em silêncio, ter menos necessidades que todos os outros, respeitar os idosos, praticar a justiça, zelar pela fraternidade, tolerar a insolência, resignar-se, encorajar os que estão espiritualmente enfermos, não afastar da fé os que pecaram, mas trazê-los de volta e restaurar-lhes a paz espiritual, admoestar os pecadores, não oprimir os devedores e os necessitados, e quaisquer outras possíveis ações como essas. Essas coisas lhe parecem boas?

— Meu senhor, o que — disse eu — é melhor que isso?

— Trilhe o caminho delas — disse ele — e delas não se restrinja, e você viverá para Deus. Observe, portanto, esse mandamento. Se você fizer o bem, e não se abstiver dele, você viverá para Deus. E novamente, se você se recusar a fazer o mal e se abstiver dele, você viverá para Deus. E todos aqueles que observarem esses mandamentos e seguirem pelo caminho deles viverão para Deus.

Nono mandamento
Deve-se orar a Deus sem cessar e com firme confiança

Ele me diz:

— Afaste de si as dúvidas e não hesite em pedir ao Senhor, dizendo a si mesmo: "Como posso pedir ao Senhor e dele receber, considerando que muito pequei contra ele?". Não raciocine assim consigo mesmo, mas de todo o coração volte-se para o Senhor e peça-lhe sem duvidar, e você conhecerá a abundância de suas mercês; verá que ele nunca o deixará, mas realizará os pedidos de sua alma. Pois ele não é como os homens, que se lembram do mal praticado contra eles; ele não se lembra do mal sofrido, mas se compadece de suas próprias criaturas. Purifique, portanto, seu coração de todas as vaidades deste mundo, e das palavras já mencionadas, e peça ao Senhor, e você tudo receberá, e nenhum dos pedidos que você fizer sem duvidar será negado. Mas se você, em seu coração, duvidar, não receberá nenhum de seus pedidos. Pois aqueles que duvidam a respeito de Deus têm a mente dividida, e seus pedidos não são atendidos. Mas aqueles que são perfeitos na fé tudo pedem, confiando no Senhor; e eles obtêm sucesso porque pedem sem duvidar e não têm a alma dividida. Pois todo homem de alma dividia, mesmo que se arrependa, terá muita dificuldade para se salvar. Purifique seu coração, portanto, de toda dúvida, e revista-se de fé, porque ela é forte, e confie em Deus, e você obterá dele tudo o que pedir. E se em alguma ocasião, depois de você ter feito seu pedido ao Senhor, a demora para vê-lo atendido for maior que o esperado, não duvide por não ver atendido logo o pedido de sua alma, pois invariavelmente é por causa de alguma tentação ou de algum pecado que você não conhece que a demora para a satisfação do seu pedido foi maior. Portanto, não deixe de fazer o pedido de sua alma, e você terá sucesso. Mas se você se cansar e hesitar em seu pedido, culpe a si mesmo, e não aquele que não o atende. Pondere esse estado de alma duvidante, pois é perverso e insensato e muitos são por ele totalmente afastados da fé, mesmo sendo eles muito fortes. Pois essa dúvida é a filha do diabo e atua de modo extremamente perverso em relação aos servos de Deus. Despreze, então, a dúvida e domine-a em todas as coisas, revestindo-se da fé, que é forte e poderosa. Pois a fé tudo promete, tudo aperfeiçoa. Mas a dúvida, por não ter em si uma fé completa, falha em todas as obras a que ela se dedica. Veja, portanto — disse ele —, que a fé vem do alto, do Senhor, e tem grande poder; mas a dúvida é um espírito terreno, que vem do diabo e não tem poder. Sirva, então, aquele que tem poder, a saber, a fé, e abstenha-se da dúvida, que não tem poder, e você viverá para Deus. E todos aqueles cuja mente se fixou nessas coisas viverão para Deus.

Décimo mandamento
Da tristeza e do dever de não entristecer o Espírito de Deus que está em nós

Capítulo 1

— Afaste de você — disse ele — a tristeza, pois ela é a irmã da dúvida e da ira.

— Como, meu senhor — disse eu —, ela é irmã delas, se a ira, a dúvida e a tristeza parecem tão diferentes entre si?

— Ó homem, você é insensato. Não percebe que a tristeza é o mais perverso de todos os espíritos e o mais terrível para os servos de Deus, e mais que todos os outros ela destrói o homem e expulsa o Espírito Santo e, mesmo assim, de outro ponto de vista, ela o salva?

— Sou insensato, meu senhor — disse eu —, e não entendo essas parábolas. Pois eu não entendo como ela pode expulsar [o Espírito Santo] e, ao mesmo tempo, salvar [o homem].

— Ouça — disse ele. — Aqueles que nunca procuraram a verdade, nem investigaram a natureza da Divindade, mas simplesmente creram, quando eles se dedicam a negócios, riquezas, amizades pagãs e muitas outras atividades deste mundo e se confundem com tudo isso, não percebem as parábolas da Divindade, pois sua mente, obscurecida por essas ocupações, se corrompe e seca. Exatamente como as belas videiras, quando são negligenciadas, acabam secando devido a espinheiros e outras plantas, assim os homens que creram e logo depois apostataram devido a muitas das atividades mencionadas acima, desgarram-se mentalmente e perdem toda noção de justiça; pois se eles ouvem falar de justiça, a mente deles está ocupada com problemas pessoais e não lhe dão atenção nenhuma. Aqueles, em contrapartida, que temem a Deus e procuram a Divindade e a verdade, e têm o coração voltado para o Senhor, rapidamente percebem e entendem o que estão ouvindo, porque têm neles o temor do Senhor. Pois onde mora o Senhor, ali há muito entendimento. Apeguem-se, então, ao Senhor, e vocês entenderão e perceberão todas as coisas.

Capítulo 2

— Ouça, então, homem tolo — disse ele —, como a tristeza expulsa o Espírito Santo e, em contrapartida, salva. Quando o homem que duvida tenta fazer alguma coisa e não consegue devido a sua dúvida, essa tristeza toma conta do homem e entristece o Espírito Santo e o expulsa. Então, em contrapartida, quando a ira se associa a um homem em relação a qualquer problema e ele se sente amargurado, a tristeza entra em seu coração, ele se irrita e se entristece diante de seu feito e se arrepende de ter praticado uma ação perversa. Essa tristeza, então, parece vir acompanhada da salvação, porque o homem, depois de ter praticado uma ação perversa, se arrependeu. As duas situações entristecem o Espírito: a dúvida, por não ter realizado seu objetivo; e a ira, por ter feito o que é perverso. As duas são causas de tristeza para o Espírito Santo, a dúvida e a ira. Por isso, afaste a tristeza e não expulse o Espírito Santo que mora em você, para que ele não apele a Deus contra você e vá embora. Pois o Espírito de Deus que nos foi dado para morar neste nosso corpo não suporta a tristeza nem a dificuldade. Por isso, revista-se de alegria, que é sempre agradável e aceitável a Deus, e rejubile-se nela. Pois todos os homens alegres fazem e têm em mente o que é bom e desprezam a tristeza. Mas o homem triste sempre age perversamente. Primeiro, ele atua perversamente porque entristece o Espírito Santo, que o homem recebeu como um Espírito alegre. Em segundo lugar, entristecendo o Espírito Santo, ele provoca uma iniquidade, sem apelar para o

Senhor, nem confessá-lo. Pois o apelo de um homem triste não tem poder para subir ao altar de Deus.

— Por que — perguntei — o apelo de um homem triste não sobe o altar?

— Porque — disse ele — a tristeza se assenta em seu coração. A tristeza, então, misturada com seu apelo, não permite que o apelo suba puro ao altar de Deus. Pois como o vinagre e o vinho, quando misturados no mesmo recipiente, não provocam o mesmo prazer [do vinho sem mistura], assim a tristeza misturada com o Espírito Santo não produz o mesmo apelo [que seria produzido pelo Espírito Santo sozinho]. Purifique-se de sua tristeza perversa e você viverá para Deus; e todos os que se livrarem da tristeza viverão para Deus e se revestirão de toda alegria.

Undécimo mandamento
O espírito e os profetas devem ser avaliados por suas obras, e também sobre as duas espécies de espírito

Ele chamou minha atenção para alguns homens sentados num banco, e para outro homem sentado numa cadeira. E me disse:

— Você está vendo aquelas pessoas sentadas no banco?

— Estou, meu senhor — respondi.

— Aqueles — disse ele — são os fiéis, e o que ocupa a cadeira é um falso profeta, que arruína a mente dos servos de Deus. São os que duvidam, não os fiéis, que ele arruína. Esses que duvidam o procuram como adivinho, e o indagam sobre o que acontecerá com eles. E ele, o falso profeta, não tendo em si o poder do Espírito Santo, lhes responde de acordo com as indagações e com os perversos desejos deles e enche-lhes a alma com expectativas, segundo seus anseios. Pois, ele mesmo sendo vazio, dá respostas vazias às vazias indagações deles, pois todas as respostas são endereçadas ao vazio do homem. Às vezes ele profere algumas palavras verdadeiras, porque o diabo o enche de seu próprio espírito na esperança de que ele consiga convencer alguns dos justos. Todos então que são fortes na fé e se revestem da verdade não têm ligação nenhuma com esses espíritos, mas se mantêm longe deles; mas todos que abrigam dúvidas em sua mente e com frequência se arrependem se dedicam à adivinhação, exatamente como os pagãos, e por meio da idolatria acumulam sobre si um pecado maior. Pois aquele que indaga um falso profeta acerca de qualquer ação é um idólatra, desprovido da verdade e tolo. Pois nenhum espírito dado por Deus precisa ser indagado. Um espírito que tem o poder da Divindade fala espontaneamente, pois ele provém do alto, do poder do Espírito Santo. Mas o espírito que é indagado e fala segundo os desejos dos homens é terreno, trivial e impotente, e se mantém totalmente mudo se não for indagado.

— Meu senhor, como então — disse eu — um homem saberá qual deles é o profeta e qual o falso profeta?

— Vou lhe explicar — disse ele — acerca dos dois profetas, e depois você pode avaliar o verdadeiro e o falso profeta de acordo com minhas orientações. Avalie pela vida o homem que tem o Espírito Divino. Primeiro, quem tem o Espírito Divino que vem do alto é manso, pacífico e humilde e se abstém de toda iniquidade e vãos desejos deste mundo, satisfazendo-se com menos necessidades que as de outros homens, e não responde quando indagado; não fala em particular, tampouco quando alguém quer que o espírito se pronuncie o Espírito Santo fala, mas apenas quando Deus quer que ele fale. Quando, portanto, um homem tomado pelo Espírito Divino se apresenta numa assembleia de justos que têm fé no Espírito Divino, e essa assembleia de homens oferece orações a Deus, então o anjo do Espírito profético, a ele destinado, inspira esse homem, e ele, repleto do Espírito Santo, fala à multidão como o Senhor deseja. Assim, então, se manifestará o Espírito da Divindade. Todo o poder, portanto, que vem do Espírito da Divindade, pertence ao Senhor. Ouça agora — disse ele — sobre o espírito que é terreno, vazio, tolo e impotente. Primeiro, o homem que parece ter o Espírito exalta-se a si mesmo e quer ocupar o assento mais importante, é arrojado, desavergonhado e falastrão; vive no luxo e em outras ilusões, e cobra remuneração por sua profecia; e se não for pago, não profetiza. Será, então, que o Espírito Divino pode receber remuneração e profetizar? Não é possível que o profeta de Deus faça isso, mas os profetas dessa natureza são possuídos por um espírito terreno. Então eles nunca procuram uma assembleia de justos, mas a evitam. Esses profetas se associam com os que duvidam e são vaidosos, e profetizam num canto e os enganam, dirigindo-lhes palavras meramente vazias, de acordo com os desejos deles; pois vazios são aqueles a quem eles dão suas respostas. Pois o vaso vazio, quando bate em outro vaso vazio, não quebra; eles apenas se harmonizam entre si. Portanto, quando um falso profeta entra numa assembleia de justos que têm o Espírito da Divindade e oferecem suas orações, esse homem é esvaziado, e o espírito terreno foge de medo, e o homem emudece e é inteiramente esmagado, tornando-se incapaz de falar. Pois se alguém apinhar num armazém recipientes contendo óleo e vinho e depois colocar um cântaro vazio no meio dos outros que estão cheios, se você quiser limpar o armazém perceberá que aquele cântaro continuará tão vazio como quando foi posto lá. Assim também os falsos profetas, quando se associam aos espíritos dos justos, se mostram [na saída] tais como eram na entrada. Esse é, portanto, o estilo de vida dos dois tipos de profetas. Avalie por sua vida e por suas obras o homem que se diz inspirado. Mas, quanto a você, confie no Espírito que procede de Deus e tem poder; mas, absolutamente, não confie no espírito que é terreno e vazio, porque nele não há poder: ele provém do diabo. Ouça, então, a parábola que vou lhe contar. Tome uma pedra e atire-a para cima e veja se ela consegue atingir o céu. Ou, então, tome um esguicho de água e direcione-o para o alto e veja se ele pode penetrar no céu.

— Meu senhor — disse eu —, como podem essas coisas acontecer? Ambas são impossíveis.

— Como essas coisas — disse ele — são impossíveis, assim também os espíritos terrenos são impotentes e ocos. Mas veja, em contrapartida, o poder que vem do alto. O granizo é do tamanho de um pequeno grão, mas quando cai na cabeça de alguém quanto aborrecimento ele provoca! Ou então tome uma gota que de um cântaro vai caindo sobre o chão e vai furando a pedra. Perceba então que as menores coisas que vêm do alto têm um grande poder quando caem sobre a terra. Assim também o Espírito Divino, que vem do alto, é poderoso. Confie, então, nesse Espírito, mas nunca se associe ao outro.

Duodécimo mandamento
Sobre o duplo desejo
Os mandamentos de Deus podem ser observados, e os que creem não devem temer o diabo

Capítulo 1

Ele me disse:

— Afaste de si todos os desejos perversos e revista-se de desejos bons e castos, pois revestido desses desejos você odiará os desejos perversos e se controlará exatamente como você quer. Pois os desejos perversos são desenfreados, e é difícil domá-los, porque são terríveis e altamente destrutivos para os homens por sua voracidade. Especialmente o servo de Deus é destruído por eles, e quem adere a eles é privado de entendimento. Além disso, eles consomem todos os que não estão revestidos de bons desejos, mas estão enredados e atrapalhados com coisas deste mundo. Estes são entregues à morte.

— Quais são, então, meu senhor — digo eu —, os desejos perversos que entregam os homens à morte? Permita-me conhecê-los para poder evitá-los.

— Ouça, então, quais são as obras pelas quais o desejo perverso assassina os servos de Deus.

Capítulo 2

— Em primeiríssimo lugar está o desejo de outra esposa ou de outro esposo, e em seguida a extravagância e muitas guloseimas e bebidas inúteis e muitos outros luxos tolos; pois todo luxo é tolo e vazio nos servos de Deus. Esses, então, são os desejos perversos que vitimam os servos de Deus. Pois essa aspiração perversa é filha do diabo. Você dever abster-se dos maus desejos, a fim de que, pela abstenção, possa viver para Deus. Mas todos aqueles que são dominados por eles e não lhes opõem resistência acabarão perecendo, pois esses desejos são fatais. Revista-se, portanto, do desejo da justiça e, armado com o temor de Deus, oponha-lhes resistência. Pois o temor do Senhor reside nos bons desejos. Mas se os desejos perversos o encontrarem armado com o temor de Deus e opondo-lhes resistência, eles fugirão e nunca mais aparecerão, porque temem sua armadura. Ostentando a coroa que você conquistou com sua vitória sobre eles, procure, então, o desejo da justiça e, entregando-lhe o prêmio que você recebeu, sirva-lhe exatamente como ele deseja. Se servir aos bons desejos e se sujeitar a eles, conquistará o domínio sobre os desejos perversos e os sujeitará a você como quiser.

Capítulo 3

— Gostaria de saber — disse eu — de que modo devo servir aos bons desejos.

— Ouça — disse ele. — Você praticará a justiça e a virtude, a verdade e o temor do Senhor, a fé e a mansidão e quaisquer outras coisas excelentes semelhantes a essas. Praticando-as, você será um servo do agrado de Deus e viverá para ele; e todos que servirem aos bons desejos viverão para Deus.

Ele concluiu os doze mandamentos e me disse:

— Você tem agora esses mandamentos. Observe-os e exorte seus ouvintes para que o arrependimento deles possa ser puro pelo resto da vida. Desempenhe cuidadosamente esse ministério que agora estou lhe confiando, e você realizará muitas coisas. Pois você será bem acolhido entre aqueles que vão se arrepender, e eles darão ouvidos a suas palavras, pois eu estarei com você e os induzirei a obedecer.

Eu disse a ele:

— Meu senhor, esses mandamentos são excelentes, bons, esplêndidos e apropriados para alegrar o coração do homem capaz de pô-los em prática. Mas eu não sei se esses mandamentos podem ser observados pelo homem, porque são extremamente difíceis.

Ele me respondeu, dizendo:

— Se você estabelecer que, com certeza, eles podem ser observados, então você os observará com facilidade, e eles não serão difíceis. Mas se começar a imaginar que eles não podem ser observados pelo homem, então você não os observará. Ora, eu lhe digo que, se você não os observar, mas os negligenciar, você não será salvo, nem seus filhos, nem sua casa, porque você já terá estabelecido para si mesmo que esses mandamentos não podem ser observados pelo homem.

Capítulo 4

Essas coisas ele me disse num tom de profunda cólera, de modo que eu fiquei perturbado e com muito medo, pois seu rosto se alterou de tal forma que um homem não poderia suportar sua cólera. Mas ao ver-me completamente agitado e confuso, ele começou a falar comigo em tons mais suaves, dizendo:

— Ó tolo, insensato e desconfiado, você não percebe como é grande a glória de Deus, e como é forte e maravilhosa, no sentido de que ele criou o mundo para o homem e a ele sujeitou toda a criação e lhe conferiu poder para tudo governar sob o céu? Se, então, o homem é senhor absoluto das criaturas de Deus e impera sobre tudo, ele não é capaz de ser senhor também desses mandamentos? Pois — disse ele — o homem que tem o Senhor no coração também pode ser senhor de tudo e de cada um desses mandamentos. Mas para aqueles que têm o Senhor somente nos lábios e têm o coração endurecido e estão longe do Senhor, os mandamentos são duros e difíceis. Portanto, vocês, que são vazios e volúveis em sua fé, ponham o Senhor em seu coração, e saberão que não existe nada mais fácil e mais doce, ou mais viável, do que esses mandamentos. Voltem, vocês que trilham o caminho dos mandamentos do diabo, em árdua, amarga e tresloucada licenciosidade, e não temam o diabo; porque nele não há poder contra vocês, pois eu, o anjo do arrependimento, estarei com vocês, e eu o tenho sob meu poder. O diabo dispõe apenas do medo, mas seu medo não tem força. Não o temam, então, e ele fugirá de vocês.

Capítulo 5

— Meu senhor — disse eu a ele —, escute-me um momento.

— Diga o que quiser — disse ele.

— Meu senhor — digo eu —, o homem deseja muito observar os mandamentos de Deus, e não existe ninguém que não peça ao Senhor que lhe seja dada a força para observar esses mandamentos e para que possa sujeitar-se a eles. Mas o diabo é forte e tem controle sobre os homens.

— Ele não pode — disse ele — mandar nos servos de Deus que, de todo o coração, nele depositam suas esperanças. O diabo pode lutar contra eles, mas não consegue derrubá-los. Se, então, vocês resistirem, ele será vencido e fugirá de vocês desacreditado. Todos aqueles, portanto — disse ele —, que são vazios temem o diabo como alguém que tem poder. Quando um homem tiver enchido cada cântaro apropriado com vinho bom, e uns poucos jarros tiverem ficado meio vazios, ele se aproxima dos cântaros e não olha para os que estão cheios, porque sabe que estão cheios; mas preocupa-se com os que estão meio vazios, temendo que o vinho neles possa ter azedado. Pois os cântaros meio vazios logo azedam, e a boa qualidade do vinho se perde. Assim também o diabo procura todos os servos de Deus para testá-los. Então, todos aqueles que estão repletos de fé resistem-lhe com vigor, e, não achando um jeito de entrar neles, ele vai embora. Procura, então, os meio vazios, e achando um jeito de entrar neles, produz neles o que quiser, e eles se tornam seus servos.

Capítulo 6

— Mas eu, o anjo do arrependimento, digo a vocês: não temam o diabo; pois eu fui enviado — disse ele — para estar com vocês que se arrependem de todo o coração e para fortalecê-los na fé. Confiem, então, em Deus, vocês que, por causa de seus pecados, perderam a esperança na vida e que cometem mais pecados e acabrunham a própria vida. Pois se vocês retornarem ao Senhor de todo o coração e praticarem a justiça pelo resto de seus dias e servirem de acordo com a vontade dele, ele curará seus pecados anteriores, e vocês terão poder para dominar as obras do diabo. Mas no que diz respeito às ameaças dele, não as temam de modo algum, pois ele é impotente como os tendões de um defunto. Deem-me, então, ouvidos e temam aquele que tem todo poder, para salvar ou destruir, e observem seus mandamentos, e vocês viverão para Deus.

Eu lhe disse:

— Meu senhor, sinto-me agora fortalecido em todas as práticas do Senhor, porque o senhor está comigo, e eu sei que esmagará todo o poder do diabo, e nós o dominaremos e predominaremos contra todas as suas obras. E eu espero, meu senhor, ser capaz de observar todos esses mandamentos que o senhor me impôs, com a ajuda de Deus.

— Você os observará — disse ele — se seu coração for puro perante o Senhor; e todos que purificarem seu coração dos vãos desejos deste mundo os observarão e viverão para Deus.

Terceiro livro — Comparações

Primeira comparação
Como não temos neste mundo morada permanente, devemos procurar uma no mundo futuro

Ele me disse:

— Você sabe que vocês que são servos de Deus moram em terra estrangeira; pois sua cidade está muito distante desta aqui. Se, então — continuou —, vocês conhecem a cidade na qual deverão morar, por que compram terras aqui e fazem dispendiosos investimentos e acumulam habitações e edifícios inúteis? Aquele que assim se prepara para esta cidade não pode voltar novamente para o que lhe pertence. Ó homem tolo, volúvel e miserável! Você não entende que todas essas coisas pertencem a outro, e estão em poder de outro? Pois o senhor desta cidade dirá: "Não quero que você more em minha cidade. Vá embora daqui, porque você não obedece a minhas leis". Portanto, mesmo tendo campos e casas e muitos outros bens, quando for expulso por ele, que fará com a terra, a casa e outras posses que você acumulou para si mesmo? Pois o senhor desta terra com razão lhe diz: "Ou você obedece a minhas leis ou deixa os meus domínios". O que, nesse caso, você pretende fazer, tendo uma lei em sua própria cidade, em relação a suas terras e ao resto de suas posses? Você negará totalmente sua lei e viverá de acordo com a lei desta cidade. Cuide para que a negação de sua própria lei não o prejudique. Porque se você desejar voltar para sua cidade, por ter negado sua lei, não será recebido, mas excluído dela. Portanto, tome cuidado: como quem mora em terra estrangeira, não providencie para si mais preparativos do que os que são simplesmente suficientes, e esteja preparado, quando o dono desta cidade chegar para expulsá-lo por desobediência a sua lei, para deixar a cidade dele e partir em direção a sua, obedecendo a suas próprias leis sem sentir-se aborrecido, mas com muita alegria. Cuidem, então, vocês que servem ao Senhor e o têm em seu coração, de praticar as obras de Deus, tendo em mente seus mandamentos e as promessas que ele fez e crendo que ele as realizará se seus mandamentos forem obedecidos. Em vez de terras, portanto, comprem almas aflitas, segundo a capacidade de cada um, e visitem viúvas e órfãos e não se esqueçam deles e usem toda a riqueza e todos os seus investimentos, que receberam do Senhor, nessas [futuras] terras e casas. Pois para esse fim o Mestre os enriqueceu, para que vocês possam executar esses serviços para ele; e é muito melhor comprar essas terras, posses e casas, que vocês encontrarão em sua própria cidade, quando passarem a residir nela. Esse é um investimento nobre e sagrado, feito sem sofrimento ou medo, mas com alegria. Não invistam como os pagãos, pois isso é ofensivo para vocês que são servos de Deus; mas façam um investimento pessoal no qual possam se alegrar; e não se corrompam nem toquem nem cobicem o que pertence a outros, pois é coisa perversa cobiçar os bens de outros homens; mas façam seu próprio trabalho, e vocês serão salvos.

Segunda comparação
Como a videira é sustentada pelo olmeiro, assim o rico é auxiliado pela oração do pobre

Enquanto eu caminhava pelo campo e observava um olmeiro e uma videira, calculando mentalmente a natureza e os frutos dessas plantas, o Pastor me apareceu e disse:

— Que está pensando sobre o olmeiro e a videira?

— Estou ponderando — respondi — que essas plantas combinam muito bem.

— Essas duas plantas — continuou ele — pretendem ser um exemplo para os servos de Deus.

— Eu gostaria de conhecer — disse eu — o exemplo que o senhor diz que essas árvores pretendem nos ensinar.

— Você está vendo — disse ele — o olmeiro e a videira?

— Estou, meu senhor — respondi.

— Esta videira — continuou ele — produz frutos, e o olmeiro é uma árvore infrutífera; mas, a menos que a videira se apoie no olmeiro, ela não produz muitos frutos quando estendida sobre o chão; e os frutos que ela produz apodrecem, porque a planta não está suspensa sobre o olmeiro. Quando, portanto, a videira se apoia no olmeiro, ela produz frutos para si e para o olmeiro. Você vê, além disso, que também o olmeiro produz muitos frutos, não menos que a videira, mas até mais, porque — continuou ele — a videira, quando suspensa sobre o olmeiro, produz muitos frutos e de boa qualidade; mas quando é jogada ao chão, o que ela produz é muito pouco e apodrece. Essa comparação, portanto, é para os servos de Deus, para os pobres e para os ricos.

— Como assim, meu senhor? — disse eu. — Explique-me esse caso.

— Ouça — disse ele. — O rico tem muita riqueza, mas é pobre em questões relativas ao Senhor, porque ele se distrai com seus bens, e oferece poucas confissões e intercessões ao Senhor, e as que oferece são pequenas e fracas, sem nenhum poder lá no alto. Mas quando o rico se lembra do pobre e o assiste em suas necessidades, acreditando que o que ele faz poderá ter sua recompensa perante Deus, porque o pobre é rico em intercessão e confissão, e sua intercessão tem grande poder perante Deus, então o rico ajuda o pobre em tudo sem hesitar; e o pobre, sendo ajudado pelo rico, intercede por ele, dando graças a Deus por aquele que lhe dá presentes. E ele sempre continua a interessar-se zelosamente pelo pobre, para que suas necessidades sejam continuamente supridas. Pois ele sabe que a intercessão do pobre é aceitável e exerce sua influência perante Deus. Ambos, cada um a seu modo, fazem seu trabalho. O pobre faz a intercessão, um trabalho em que ele é rico, graças a Deus, e com o qual ele recompensa o patrão que o ajuda. E o rico, da mesma forma, sem hesitar repassa ao pobre riquezas que ele recebeu do Senhor. E esse é um grande trabalho, aceitável perante Deus, porque ele entende o objetivo de sua riqueza e deu ao pobre parte das dádivas do Senhor, e acertadamente prestou a ele seus serviços. Para os homens, porém, o olmeiro parece não produzir frutos, e eles não sabem nem entendem que se ocorrer uma seca o olmeiro, que contém água, nutre a videira; e a videira, tendo um inesgotável suprimento de água, produz frutos em dobro para si e para o olmeiro. Da mesma forma, homens pobres que intercedem ao Senhor em prol dos ricos aumentam suas riquezas; e, por sua vez, os ricos que ajudam os pobres em suas necessidades satisfazem sua alma. Ambos, portanto, são parceiros na obra da justiça. Aquele que faz essas coisas não será desertado por Deus, mas será inscrito no livro dos vivos. Felizes são aqueles que possuem riquezas e entendem que elas provêm de Deus. Pois aqueles que assim pensam poderão praticar algum bem.

Terceira comparação
Assim como no inverno não podemos distinguir as árvores vivas das árvores secas, também neste mundo não podemos distinguir os justos dos injustos

Ele me mostrou muitas árvores sem folhas que, a meu ver, estavam secas, pois eram todas iguais. E me disse:

— Você está vendo aquelas árvores?

— Estou vendo — respondi — que são todas iguais e estão secas.

Ele me respondeu, dizendo:

— Essas árvores que vê são aqueles que moram neste mundo.

— Por que, nesse caso, meu senhor — disse eu —, estão secas, por assim dizer, e são todas iguais?

— Porque — disse ele — os justos não se distinguem dos pecadores nesta vida, mas são todos iguais; pois esta vida é um inverno para os justos, e eles não se distinguem porque convivem com pecadores: pois como no inverno as árvores que perdem as folhas tornam-se iguais e não se percebe quais estão mortas e quais estão vivas, assim neste mundo os justos não se distinguem, nem os pecadores, mas todos se parecem entre si.

Quarta comparação
Assim como no verão as árvores vivas se distinguem das árvores secas por seus frutos e folhas verdes, também no mundo futuro os justos se distinguirão dos injustos por sua felicidade

Ele me mostrou novamente muitas árvores, algumas brotando e outras secas. E me disse:

— Você está vendo aquelas árvores?

— Estou, meu senhor — respondi.

— Algumas estão brotando, outras estão secas.

— Aquelas — disse ele — que estão brotando são os justos que irão viver no mundo futuro; pois o mundo futuro é o verão dos justos, mas é o inverno dos pecadores. Quando, portanto, brilhar a misericórdia do Senhor, então se distinguirão aqueles que são servos de Deus, e todos os homens aparecerão como são. Pois como no verão aparecem os frutos de cada árvore, e se verifica qual é a natureza delas, assim também os frutos dos justos aparecerão, e todos que foram frutíferos neste mundo serão conhecidos. Mas os pagãos e os pecadores, como as árvores secas que você viu, se revelarão como os frutos dos que neste mundo se tornaram secos e infrutíferos, e serão queimados como lenha e assim aparecerão, porque suas ações durante a vida foram perversas. Pois os pecadores serão consumidos pelo fogo porque pecaram e não se arrependeram, e os pagãos serão queimados porque não conheceram aquele que os criou. Portanto, produza frutos para que naquele verão seus frutos possam ser conhecidos. E abstenha-se de atividades excessivas, e você nunca pecará, pois aqueles que se ocupam com muitas coisas também cometem muitos pecados, por se distraírem em seus afazeres e não servindo em nada a seu Senhor. Como, nesse caso — continuou ele — pode alguém assim pedir e obter alguma coisa do Senhor, se não servir-lhe? Aqueles que servem a ele terão seus pedidos atendidos, mas os que não o fazem nada receberão. E é possível servir ao Senhor na prática de uma única ação, pois a mente nesse caso não se afastará dele, mas a ele servirá se houver pureza. Se, portanto, você fizer essas coisas, será capaz de frutificar para a vida futura. E todos aqueles que praticam essas coisas produzirão frutos.

Quinta comparação
Do verdadeiro jejum e de sua recompensa e também da pureza do corpo

Capítulo 1

Enquanto eu jejuava, sentado sobre determinada montanha, e dava graças ao Senhor por todos os seus procedimentos comigo, vejo o Pastor sentando-se junto a mim e dizendo:

— Por que você veio aqui [tão] cedo esta manhã?

— Porque, meu senhor — respondi —, eu tenho um compromisso.

— Que compromisso é esse? — perguntou ele.

— Estou jejuando, senhor — respondi.

— Que é esse jejum — continuou ele — que você está observando?

— É um hábito que eu adquiri, meu senhor — respondi —, e assim eu jejuo.

— Você não sabe — disse ele — como jejuar para o Senhor: esse jejum inútil que você está fazendo para Deus não vale nada.

— Por que diz isso, senhor? — perguntei.

— Eu lhe digo — continuou ele — que o jejum que você acha que faz não é jejum. Mas eu vou lhe ensinar o que é um jejum completo e aceitável para o Senhor. Ouça — continuou ele. — Deus não deseja esse jejum vazio. Pois jejuando para Deus dessa maneira você nada fará em proveito de uma vida justa; mas ofereça a Deus um jejum da seguinte natureza: não pratique o mal em sua vida e sirva a Deus de coração puro; observe os mandamentos dele, siga seus preceitos e não permita que o mal surja em seu coração. E creia em Deus. Se praticar essas coisas e temer a Deus e se abstiver de todas as coisas perversas, você viverá para Deus. E se você fizer isso, praticará um grande jejum, aceitável perante Deus.

Capítulo 2

— Ouça a comparação que vou lhe apresentar sobre o jejum. Um homem que tinha um campo e muitos escravos plantou um vinhedo em seu terreno e, após escolher um escravo fiel e querido e muito valorizado, chamou-o e lhe disse: "Tome este vinhedo que plantei e estaqueie-o até eu voltar, e nada mais faça em relação ao vinhedo. Se você seguir essa ordem, receberá de mim sua liberdade". E o dono do escravo partiu para outro país. Em sua ausência, o escravo se pôs a trabalhar e estaqueou o vinhedo. Terminado o estaqueamento das videiras, viu que o vinhedo estava cheio de ervas daninhas. Então refletiu, dizendo a si mesmo: "Segui a ordem de meu patrão. Agora vou carpir o vinhedo, e com isso ele ficará mais bonito e, não sendo sufocado pelas ervas daninhas, produzirá mais frutos". Pôs-se, então, a carpir o vinhedo e extirpou dele todas as ervas daninhas. E o vinhedo, não mais sufocado, ficou bonito e frutuoso. Depois de certo tempo, o dono do escravo e do campo voltou e entrou no vinhedo. E vendo que as videiras estavam adequadamente sustentadas por estacas e, além disso, que o vinhedo agora carpido estava livre das ervas daninhas e era muito frutífero, sentiu-se muito satisfeito com o trabalho de seu escravo. E chamando seu querido filho, que era seu herdeiro, e seus amigos, que eram seus conselheiros, ele lhes contou que ordens tinha dado ao escravo e o que havia constatado ao voltar. E eles, juntamente com o escravo, muito se alegraram com o testemunho dado pelo patrão, que lhes disse: "Prometi a este escravo a liberdade, se ele obedecesse à ordem que lhe dei. E ele obedeceu e, além disso, fez um bom trabalho em benefício do vinhedo, o que muito me agradou. Em recompensa, portanto, pelo trabalho executado, quero fazê-lo co-herdeiro de meu filho, porque, tendo boas ideias, ele não as ignorou, mas as pôs em prática". O filho do dono e seus amigos ficaram satisfeitos com essa resolução, isto é, com o fato de que o escravo fosse co-herdeiro com o filho. Alguns dias mais tarde, o dono da propriedade deu uma festa e enviou ao escravo muitos pratos de sua mesa. Ao receber esses pratos enviados pelo dono, o escravo tomou para si o suficiente e distribuiu o resto entre seus colegas escravos, que se alegraram com isso e, tendo recebido esse tratamento de seu colega, se puseram a orar para que ele fosse ainda mais favorecido por seu dono. Seu dono soube de todas essas coisas que haviam acontecido, e mais uma vez sentiu-se muito satisfeito com sua conduta. E o dono, reunindo novamente seu filho e seus amigos, relatou-lhes o que fizera o escravo em relação aos pratos que ele lhe enviara. E eles ficaram ainda mais satisfeitos com a decisão de que o escravo fosse co-herdeiro com seu filho.

Capítulo 3

— Meu senhor — disse eu —, não entendo o significado dessas comparações, tampouco consigo compreendê-las, a menos que o senhor me dê uma explicação.

— Vou explicá-las para você — disse ele — e lhe mostrarei tudo o que vou mencionar durante nossa conversa. [Observe os mandamentos do Senhor, e você será aprovado e inscrito entre os que observam os mandamentos dele.] E se você praticar alguma boa ação além do que foi ordenado por Deus, granjeará para si glória mais abundante e por Deus será mais honrado do que seria agindo de outro modo. Se, portanto, além de observar os mandamentos de Deus, você praticar essas obras, terá alegria se o fizer de acordo com minhas ordens.

Eu lhe disse:

— Meu senhor, tudo o que me impuser eu o observarei, porque sei que o senhor está comigo.

— Eu estarei com você — respondeu ele — porque você tem esse desejo de praticar o bem. E eu estarei com todos aqueles

— acrescentou — que nutrem esse bom desejo. Esse jejum — continuou — é muito bom, desde que os mandamentos de Deus sejam observados. Assim, então, você praticará o jejum que pretende fazer. Em primeiro lugar, previna-se contra todas as más palavras e todos os maus desejos, purificando seu coração de todas as vaidades deste mundo. Se você se prevenir contra essas coisas, seu jejum será perfeito. E você também fará o seguinte. Tendo cumprido o que está escrito, no dia em que você jejuar nada provará além de pão e água; e depois de calcular o preço dos pratos que pretendia consumir naquele dia, dará o valor aferido a uma viúva ou a um órfão, ou a alguém necessitado, e assim mostrará humildade de espírito, de modo que aquele que houver recebido o benefício de sua humildade possa alimentar sua alma e orar por você ao Senhor. Se observar o jejum como eu lhe ordenei, seu sacrifício será aceitável a Deus, e esse jejum será registrado por escrito; e o serviço assim prestado é nobre, sagrado e aceitável ao Senhor. Essas coisas, portanto, você deve assim observá-las com seus filhos e toda a sua casa. E observando-as, você será abençoado; e todos aqueles que ouvem estas palavras e as observam serão abençoados, e receberão do Senhor tudo o que lhe pedirem.

Capítulo 4

Eu supliquei muito pedindo que ele me explicasse a comparação do campo, do dono do vinhedo e do escravo que estaqueou as videiras, das estacas, das ervas daninhas extirpadas do vinhedo, do filho e dos amigos que eram conselheiros, pois eu sabia que todas essas coisas eram uma espécie de parábola. E ele me respondeu, dizendo:

— Você é extremamente persistente em seu questionamento. Você não deve, de modo algum — disse ele —, fazer tantas perguntas. Você não deve — continuou ele — fazer pergunta alguma; pois se algo exigir explicação, isso lhe será dado a conhecer.

Eu lhe disse:

— Meu senhor, qualquer coisa que o senhor me mostrar, e não explicar, terei visto em vão, não entendendo seu significado. De modo semelhante, também se o senhor falar em parábolas e não me der explicações, eu terei ouvido suas palavras em vão.

E ele novamente me respondeu, dizendo:

— Quem é servo de Deus e tem Deus em seu coração, pede-lhe entendimento e o recebe, e tem explicações para todas as parábolas; e as palavras do Senhor proferidas em parábolas tornam-se conhecidas para ele. Mas os que são fracos e preguiçosos na oração, hesitam em pedir o que quer que seja ao Senhor; mas o Senhor está repleto de compaixão e atende sem falha a todos que lhe pedem. Mas você, tendo sido fortalecido pelo santo anjo e tendo obtido dele essa intercessão, e não sendo preguiçoso, por que não pede entendimento ao Senhor, e dele o recebe?

Eu lhe disse:

— Meu senhor, tendo o senhor comigo, sou obrigado a lhe fazer perguntas, pois o senhor me mostra todas as coisas e conversa comigo. Mas se devesse ver e ouvir essas coisas sem o senhor, eu pediria a explicação delas ao Senhor.

Capítulo 5

— Eu lhe disse há pouco — respondeu ele — que você era astuto e obstinado em seus pedidos de explicações das parábolas; mas, dada a sua persistência, vou lhe revelar o significado das comparações do campo e de todas as outras que vêm em seguida, para que você as dê a conhecer a todos. Ouça agora — disse ele — e entenda. O campo é este mundo; e o Senhor do campo é aquele que criou, aperfeiçoou e fortaleceu todas as coisas; [e o filho é o Espírito Santo;] e o escravo é o Filho de Deus, e as videiras são este povo, que ele mesmo plantou; e as estacas são os santos anjos do Senhor, que mantêm seu povo unido; e as ervas daninhas que foram extirpadas do vinhedo são as iniquidades dos servos de Deus; e os pratos de sua mesa que ele enviou ao servo são os mandamentos que ele deu a seu povo por meio de seu Filho; e os amigos e conselheiros são os santos anjos criados em primeiro lugar; e a ausência do Dono de sua casa é o tempo que falta até seu aparecimento.

Eu lhe disse:

— Meu senhor, todas essas coisas são grandes, maravilhosas e gloriosas. Portanto — continuei —, será que eu poderia entendê-las? Não, tampouco qualquer outro homem poderia, mesmo que fosse sábio no mais alto grau. Além disso — acrescentei —, explique-me o que vou lhe perguntar.

— Diga o que deseja — respondeu ele.

— Por que, meu senhor — perguntei —, o Filho de Deus da parábola tem a forma de escravo?

Capítulo 6

— Ouça — respondeu ele. — o Filho de Deus não tem a forma de escravo, mas se apresenta com grande força e poder.

— Como assim, senhor? — disse eu. — Não entendo.

— É porque — respondeu — Deus plantou o vinhedo, isto é, criou o povo e o entregou a seu Filho; e o Filho encarregou os anjos de cuidar de seu povo e preservá-lo, e ele mesmo expurgou-o de seus pecados, tendo sofrido muitas provações e submetendo-se a muito trabalho, pois ninguém pode cavar sem trabalho e suor. Ele mesmo, então, tendo expurgado os pecados do povo, mostrou-lhe os caminhos da vida ao dar-lhe a lei que ele recebeu de seu Pai. [Perceba — disse ele — que ele é Senhor do povo, tendo recebido toda autoridade de seu Pai.] E ouça por que o Senhor tomou seu Filho como conselheiro, e os gloriosos anjos, para tratar da herança do escravo. O Espírito Santo, preexistente, criador de todas as criaturas, Deus o fez habitar num corpo que ele escolheu. Consequentemente, o corpo no qual o Espírito habitou sujeitou-se com nobreza àquele Espírito, procedendo de modo piedoso e casto, não profanando de modo algum o Espírito. Portanto, depois de uma vida excelente e pura, depois de trabalhar e cooperar com o Espírito, e tendo em tudo procedido com vigor e coragem juntamente com o Espírito Santo, ele assumiu aquele corpo como seu parceiro. Pois essa conduta do corpo lhe agradou, porque ele não foi profanado na terra enquanto continha o Espírito Santo. Ele tomou, portanto, como conselheiros seu Filho e os gloriosos anjos, para que a carne, que fora sujeitada ao corpo sem nenhuma imperfeição, pudesse ter seu tabernáculo e não desse a impressão de que a recompensa [por seus serviços se perdera], pois a carne que foi achada sem mancha e ou profanação, na qual habitou o Espírito Santo, [receberá uma recompensa]. Você agora tem a explicação também dessa parábola.

Capítulo 7

— Eu me alegro, senhor — disse eu —, ouvindo essa explicação.

— Ouça — respondeu ele novamente. — Mantenha este corpo puro e sem mancha, para que o Espírito que o habita possa ser a testemunha dele, e sua carne será justificada. Cuide de que nunca passe por sua cabeça o pensamento de que este seu corpo é corruptível e você venha a usá-lo mal cometendo algum ato de profanação. Se você profanar seu corpo, também profanará o Espírito Santo; e se profanar sua carne [e espírito], você não viverá.

— E se alguém, meu senhor — disse eu —, tiver ignorado isso até o presente, antes de ouvir essas palavras, como pode essa pessoa que profanou sua carne se salvar?

— No que se refere a pecados anteriores por ignorância — disse ele — só Deus pode curá-los, pois a ele pertence todo o poder. [Mas fique alerta agora, e o Deus onipotente e compassivo curará as transgressões anteriores], se no futuro você não profanar nem seu corpo nem seu espírito; pois ambos estão unidos e um não pode ser profanado sem o outro: mantenha ambos puros, e você viverá para Deus.

Sexta comparação
Das duas classes de homens voluptuosos e de sua morte e apostasia, e da duração do castigo deles

Capítulo 1

Sentado em minha casa e glorificando o Senhor por tudo aquilo que eu vira e refletindo sobre os mandamentos (sobre como eles são excelentes, poderosos e gloriosos e têm o poder de salvar a alma humana), eu disse a mim mesmo: "Serei abençoado se seguir no caminho desses mandamentos, e todos aqueles que seguem no mesmo caminho serão abençoados". Enquanto dizia a mim mesmo essas palavras, vejo-o de repente sentado a meu lado e ouço-o dizer assim:

— Por que você está em dúvida sobre os mandamentos que eu lhe dei? São excelentes: não tenha dúvida nenhuma sobre eles, mas deposite sua fé no Senhor, e você trilhará o caminho deles, pois eu vou fortalecê-lo. Esses mandamentos são benéficos para os que pretendem arrepender-se: pois se eles não os seguirem, em vão é seu arrependimento. Portanto, você que se arrepende deve livrar-se da fraqueza deste mundo que o deixa exausto. E revestindo-se de todas as virtudes de uma vida santa, você será capaz de cumprir esses mandamentos, e já não aumentará o número de seus pecados. Caminhe, portanto, nesses meus mandamentos, e viverá para Deus. Todas essas coisas lhe foram ditas por mim.

E depois de proferir essas palavras, ele me disse:

— Vamos para os campos, e eu lhe mostrarei os pastores dos rebanhos.

— Vamos, meu senhor — respondi.

E nós chegamos a certa planície, onde ele me mostrou um jovem, um pastor, vestindo um conjunto de roupa de cor amarela: e ele estava pastoreando um grande número de ovelhas, e essas ovelhas se alimentavam voluptuosamente, por assim dizer, e em grande tumulto pulavam alegremente de um lado para outro. A aparência do pastor era de alegria, e ele corria em diferentes direções em meio ao seu rebanho. [E, num único lugar, outras ovelhas eu vi alimentando-se em tumulto; mas essas, porém, não pulavam de um lado para outro.]

Capítulo 2

— Você está vendo este pastor? — disse ele.

— Estou vendo sim, senhor — respondi.

— Este — disse ele — é o anjo da volúpia e do engodo: ele exaure a alma dos servos de Deus e os afasta da verdade, enganando-os com desejos perversos, pelos quais eles perecerão; pois eles se esquecem dos mandamentos do Deus vivo e trilham o caminho do engano e da vazia volúpia. São arruinados pelo anjo, sendo alguns levados à morte, e outros à corrupção.

Eu lhe disse:

— Meu senhor, não conheço o significado dessas palavras: “à morte e à corrupção”.

— Ouça — disse ele. — As ovelhas que você viu alegres e saltitantes são as pessoas que se desgarraram do caminho de Deus para sempre e se entregaram à volúpia e aos enganos [deste mundo. Para elas não há retorno à vida pelo arrependimento porque a seus pecados adicionaram outros, e blasfemaram o nome do Senhor. Essas pessoas, portanto, estão destinadas à morte. E as ovelhas que você viu que não pulavam de um lado para outro, mas alimentavam-se num único lugar, são aqueles que se entregaram à volúpia e ao engano], mas não cometeram nenhuma blasfêmia contra o Senhor. Esses foram desviados da verdade. Para eles há esperança de arrependimento, pelo qual é possível viver. A corrupção, então, tem a esperança de uma espécie de renovação, mas a morte é a ruína eterna.

De novo fui um pouco mais adiante, e ele me mostrou um pastor alto, meio selvagem em sua aparência, vestido com uma pele de cabra branca, tendo nos ombros uma sacola e segurando um cajado muito tosco com galhos e um grande chicote. E ele era muito carrancudo, de modo que senti medo, tão medonho era seu aspecto. Esse pastor estava, como devia, recebendo as ovelhas do pastor jovem, isto é, aquelas que estavam pastando em tumulto, mas não pulando de um lado para outro; e ele as atirava num lugar escarpado, cheio de cardos e espinhos, de modo que era impossível libertar as ovelhas dos espinhos e cardos; elas ficavam completamente emaranhadas. Essas, consequentemente, assim emaranhadas, pastavam entre os cardos e os espinhos, e eram extremamente infelizes, sendo surradas pelo pastor. E ele as conduzia de um lado para outro, sem lhes dar descanso. Em seu conjunto, essas ovelhas estavam numa condição lamentável.

Capítulo 3

Vendo-as, portanto, tão surradas e maltratadas, eu me lamentava por elas, por vê-las tão atormentadas, sem descanso algum. E eu disse ao Pastor que conversava comigo:

— Meu senhor, quem é esse pastor, que é tão cruel e severo, e tão completamente desprovido de compaixão por essas ovelhas?

— Este — respondeu ele — é o anjo do castigo; ele pertence aos anjos justos, e recebeu a função de castigar. Sendo assim, ele apanha os que se desviam de Deus e trilham o caminho dos desejos e enganos deste mundo e os castiga como merecem com castigos terríveis e diversos.

— Gostaria de saber, meu senhor — disse eu —, de que natureza são os diversos castigos e torturas.

— Ouça — disse ele — quais são os vários castigos e torturas. As torturas são como as que acontecem durante a vida. Pois alguns são castigados com perdas, outros com carência, outros com doenças de vários tipos, e outros com todos os tipos de desordem e confusão; outros são insultados por pessoas indignas e expostos a sofrimentos de muitas espécies: pois muitos, tornando-se instáveis em seus planos, tentam muitas coisas, e nenhum deles obtém sucesso algum, e eles dizem que não prosperam em seus empreendimentos; e não lhes passa pela cabeça que praticaram más obras, mas culpam o Senhor. Quando, portanto, já sofreram todos os tipos de angústia, então eles são entregues a mim para um treinamento no bem, e são fortalecidos na fé no Senhor; e pelo resto dos dias de sua vida eles se submetem ao Senhor com o coração puro, e são bem-sucedidos em seus empreendimentos, obtendo do Senhor tudo o que pedem; e eles então glorificam o Senhor por terem sido entregues a mim e já não sofrerem nenhum mal.

Capítulo 4

— Meu senhor — disse eu —, explique-me também isso.

— O que é que você quer saber? — disse ele.

— Meu senhor — continuei —, quero saber se aqueles que se entregaram à volúpia e foram enganados são torturados pelo mesmo espaço de tempo que dedicaram à luxúria e ao engano.

Ele me disse:

— Eles são torturados da mesma maneira.

[— Eles são torturados muito menos, meu senhor — repliquei] —, pois aqueles que são voluptuosos e se esquecem de Deus deveriam ser torturados sete vezes sete.

Ele me disse:

— Você é tolo e não entende o poder do tormento.

— Ora, senhor — disse eu —, se eu o tivesse entendido, não teria pedido que o senhor me explicasse.

— Ouça — disse ele — o poder das duas coisas. O tempo da volúpia e do engano é uma hora; mas a hora do tormento equivale e trinta dias. Se, de acordo com isso, alguém se entregar à volúpia por um dia, e for torturado por um dia, o dia de sua tortura equivale a um ano inteiro. A todos os dias de volúpia, portanto, correspondem outros tantos anos de tortura a suportar. Veja, portanto — continuou ele —, que o tempo da volúpia e do engano é muito curto, mas o do castigo e da tortura é longo.

Capítulo 5

— Ainda assim — disse eu — eu não entendo completamente a questão do tempo do engano e da volúpia e da tortura; explique-me isso de modo mais claro.

Ele me respondeu, dizendo:

— Sua tolice é persistente; e você não quer purificar seu coração e servir a Deus. Tome cuidado — continuou ele — para que o tempo não se esgote, e se constate que você é um tolo. Ouça agora — acrescentou — como você deseja, para que possa entender essas coisas. Quem se entrega à volúpia e é enganado por um dia e faz tudo o que deseja é vítima de muita tolice e não entende o ato que pratica até o dia seguinte, pois esquece o que fez no dia anterior. Pois a volúpia e o engano não têm memória, por causa da tolice que os envolve; mas quando o castigo e a tortura acompanham alguém por um dia, essa pessoa é punida e torturada por um ano; pois a punição e a tortura têm memória poderosa. Enquanto é torturada e punida, portanto, durante um ano inteiro, ela no mínimo se lembra de sua volúpia e de seu engano e sabe que por causa deles sofre o mal. Todos os homens, portanto, que são voluptuosos e enganados são assim torturados porque, embora tendo vida, eles se entregaram à morte.

— Que tipos de volúpia, meu senhor — perguntei —, são perniciosos?

— Todos os atos que alguém pratica com prazer — respondeu ele — são atos de volúpia; pois o homem irascível, quando satisfaz sua tendência, entrega-se à volúpia; e o adúltero, o beberrão, o vingativo, o mentiroso, o cobiçoso, o ladrão, e quem pratica atos como esses, satisfaz sua propensão peculiar e, fazendo isso, entrega-se à volúpia. Todos esses atos de volúpia são perniciosos para os servos de Deus. Por causa desses enganos, portanto, sofrem os que são punidos e torturados. E também há atos de volúpia que salvam homens, pois muitos dos que praticam o bem se entregam a essa prática com volúpia, levados por seu próprio prazer. Essa volúpia, porém, é benéfica para os servos de Deus e ganha vida para quem a pratica; mas os atos ofensivos da volúpia enumerados antes atraem torturas e castigo sobre quem os pratica, e a persistência neles sem arrependimento atrai a morte sobre seus praticantes.

Sétima comparação

Os que se arrependem devem produzir frutos dignos do arrependimento

Alguns dias mais tarde eu o vi na mesma planície onde também havia visto os pastores; e ele me disse:

— O que você gostaria que eu fizesse?

Eu lhe disse:

— Meu senhor, gostaria que o senhor mandasse o pastor do castigo deixar minha casa, porque ele me aflige demais.

— É preciso — replicou ele — que você se aflija, pois assim determinou o glorioso anjo a seu respeito, pois ele quer que você seja testado.

— Que fiz eu de tão perverso, meu senhor — repliquei —, para ser entregue ao anjo do castigo?

— Ouça — disse ele. — Seus pecados são muitos, mas não tão graves a ponto de exigirem que você seja entregue a esse anjo; mas sua família cometeu grandes iniquidades e pecados, e o glorioso anjo se enfureceu com ela devido a esses atos; e por essa razão ele ordenou que você fosse atormentado durante certo tempo, para que eles pudessem se arrepender e purificar-se de todos os desejos deste mundo. Quando, portanto, eles se arrependerem e purificarem, então o anjo do castigo irá embora.

Eu lhe disse:

— Meu senhor, se eles fizeram essas coisas que, contra si mesmos, enfureceram o glorioso anjo, ainda assim o que fiz eu?

Ele respondeu:

— Eles absolutamente não podem ser atormentados, a menos que você, o cabeça da casa, seja atormentado: pois quando você é atormentado, é inevitável que eles também sintam o tormento; mas se você viver no conforto, eles não podem sentir nenhum tormento.

— Bem, meu senhor — disse eu —, eles se arrependeram de todo o coração.

— Eu também sei — respondeu — que eles se arrependeram de todo o coração. Mas você acha, porém, que os pecados dos que se arrependem são perdoados? Não totalmente; mas aquele que se arrepende deve torturar sua própria alma e sentir-se profundamente humilde em toda a sua conduta e atormentado com muitas formas de angústia. E se ele suportar as aflições que lhe sobrevêm, aquele que criou todas as coisas e lhes conferiu poder certamente terá compaixão e o curará. E isso ele fará quando vir o coração de cada penitente purificado de toda maldade. E é proveitoso para você e sua família sofrer tormentos agora. Mas por que devo dizer-lhe tudo isso? Você deve ser atormentado como ordenou aquele anjo do Senhor que o confiou a mim. Por isso, agradeça ao Senhor, porque ele o considerou digno de lhe dar a conhecer de antemão esse tormento para que, desse modo, você seja capaz de suportá-lo com coragem.

Eu lhe disse:

— Meu senhor, fique comigo, e eu serei capaz de suportar qualquer aflição.

— Eu estarei com você — disse ele — e pedirei ao anjo do castigo para atormentá-lo de maneira mais branda; contudo, você será atormentado por certo tempo, e novamente será restabelecido em sua casa. Apenas continuem na humildade e sirvam ao Senhor com toda a pureza de coração, você e seus filhos e sua casa, e sigam as ordens que lhes dou, e seu arrependimento será profundo e puro; e se você observar essas coisas com sua família, todas as aflições se afastarão de vocês. E a aflição — acrescentou ele — se afastará de todos os que seguem estes meus mandamentos.

Oitava comparação
Os pecados dos eleitos e dos penitentes são de muitas espécies, mas todos serão recompensados de acordo com a medida de seu arrependimento e de suas boas obras

Capítulo 1

Ele me mostrou um grande salgueiro que toldava planícies e montanhas. E à sombra dele reuniam-se todos aqueles chamados pelo nome do Senhor. E um glorioso anjo do Senhor, de grande estatura, postado junto ao salgueiro, empunhando uma enorme foice, ia cortando pequenos galhos da árvore e distribuindo-os entre as pessoas reunidas à sombra dela. E os galhos distribuídos eram muito pequenos; tinham mais ou menos meio metro de comprimento. E depois que todos haviam recebido os galhos, o anjo depôs sua foice, e a árvore estava perfeita, como eu a tinha visto no início. E eu me admirei e disse a mim mesmo: "Como a árvore está perfeita depois que tantos galhos foram cortados?". E o Pastor me disse:

— Não estranhe se a árvore permanece perfeita depois que tantos galhos foram cortados; [mas espere,] e depois que tiver visto tudo, então você terá a explicação do significado.

O anjo que havia distribuído os galhos entre a multidão pediu-os de volta, e na ordem em que as pessoas os haviam recebido eram chamadas a apresentar-se a ele, e cada uma devolvia seu ramo. O anjo recebia e examinava os galhos. De alguns recebeu galhos secos e acarunchados; aos que devolveram galhos nesse estado o anjo do Senhor ordenou que ocupassem seu lugar reservado. Outros devolveram galhos secos, mas não acarunchados; e esses ele mandou que ocupassem seu lugar reservado. E outros os devolveram meio secos, e esses ocuparam seu lugar reservado. E outros devolveram seus galhos meio secos e com rachaduras, e esses ocuparam seu lugar reservado. [Outros devolveram seus galhos verdes e apresentando rachaduras, e esses ocuparam seu lugar reservado. Outros devolveram seus galhos metade secos e metade verdes, e esses ocuparam seu lugar reservado. Outros trouxeram seus galhos com dois terços secos e um terço verde, e esses ocuparam seu lugar reservado. Outros devolveram seus galhos quase totalmente verdes, tendo apenas a ponta seca, mas tinham rachaduras, e esses ocuparam seu lugar reservado. Outros apresentavam uma mínima parte verde, mas as outras partes estavam secas, e esses ocuparam seu lugar reservado. Outros vieram com seus galhos verdes, tais quais os haviam recebido do anjo. E a maior parte da multidão devolveu galhos dessa natureza, e com estes o anjo ficou imensamente satisfeito, e eles ocuparam seu lugar reservado.] E outros devolveram seus galhos verdes e com ramificações, e esses ocuparam seu lugar reservado; e com eles o anjo ficou imensamente satisfeito. E outros devolveram seus galhos verdes e com ramificações, e as ramificações mostravam alguns frutos, por assim dizer, e os homens que carregavam galhos dessa natureza eram extremamente alegres. E por causa deles o anjo ficou exultante; e o Pastor também se rejubilou imensamente por causa deles.

Capítulo 2

E o anjo do Senhor ordenou que fossem trazidas coroas. E coroas foram trazidas, feitas, por assim dizer, de palmas; e ele coroou os homens que haviam devolvido os galhos com ramificações e alguns frutos e os encaminhou para dentro da torre. Os outros ele também encaminhou para a torre, aqueles, especificamente, que haviam devolvido galhos verdes e que apresentavam ramificações, mesmo sem frutos, mas antes lhes conferiu um selo. Todos os que entraram na torre tinham as mesmas vestimentas — brancas como a neve. Aqueles que devolveram seus galhos verdes, como os haviam recebido, ele os libertou, dando-lhes vestes e selos. Agora, depois que o anjo havia terminado essas atividades, ele disse ao Pastor:

— Eu vou embora, e você despachará estes aqui para dentro dos muros, dando a cada um sua habitação merecida. Examine seus galhos com cuidado, e despache-os; mas examine-os com cuidado. Cuide para que ninguém lhe escape — acrescentou ele —, e se alguém escapar de você, esse eu provarei junto ao altar.

Ditas essas palavras ao Pastor, ele partiu. Depois que anjo foi embora, o Pastor me disse:

— Vamos tomar os galhos de todos estes e plantá-los, para ver se algum deles viverá.

Eu lhe disse:

— Meu senhor, como podem viver estes galhos secos?

Ele respondeu, dizendo:

— Esta árvore é um salgueiro, e de uma espécie que tem uma vida muito tenaz. Se, portanto, os galhos forem plantados e minimamente irrigados, muitos deles viverão. E agora vamos tentar, vamos aguá-los; e se alguns deles viverem, eu me rejubilarei com eles; e se não viverem, pelo menos não serei considerado negligente.

E o Pastor ordenou-me que chamasse cada um deles seguindo a ordem que ocupava. Eles vieram, fileira por fileira, e entregaram seus galhos ao Pastor. O Pastor recebeu os galhos e os plantou em fileiras, e depois de plantá-los, derramou sobre eles muita água, de modo que os galhos desapareceram submersos. E depois que eles haviam bebido a água, ele me disse:

— Vamos embora e voltar dentro de alguns dias para inspecionar os galhos; pois aquele que criou esta árvore quer que vivam todos que receberam ramos dela. E eu também espero que a maior parte desses galhos que foram irrigados e beberam da água tenha vida.

Capítulo 3

— Meu senhor — disse eu —, explique-me o que significa esta árvore, pois eu estou perplexo diante dela, porque, depois que tantos galhos foram cortados, ela continua perfeita, e nada parece ter sido removido dela. Por isso, agora, estou perplexo.

— Ouça — disse ele. — Esta grande árvore que projeta sua sombra sobre planícies, e montanhas, e a terra toda, é a lei de Deus que foi dada para o mundo inteiro. Essa lei é o Filho de Deus, proclamado até os confins do mundo; e as pessoas que estão a sua sombra são aqueles que ouviram a proclamação e creram nele. E o anjo grande e glorioso é Miguel, aquele que tem autoridade sobre essas pessoas e as governa. Ele é aquele que deu a lei gravada no coração dos crentes. De acordo com isso, ele supervisiona os que a receberam para verificar se a observaram. E você vê os galhos de cada um, pois os galhos são a lei. Você vê os ramos de cada uma, pois esses ramos são a lei. Perceba, consequentemente, que muitos galhos se tornaram inúteis, e você os conhecerá todos, isto é, aqueles que não observaram a lei; e você verá a habitação de cada um deles.

Eu lhe disse:

— Meu senhor, por que ele enviou alguns para dentro da torre e deixou outros para você?

— Todos — respondeu ele — os que transgrediram a lei que dele receberam, ele os deixou sob meu poder de arrependimento; mas todos os que lhe obedeceram, ele mantém sob sua autoridade.

— Quem, nesse caso — continuei —, são os que foram coroados e encaminhados para a torre?

— Esses são aqueles que padeceram por causa da lei; mas os outros, e aqueles que devolveram galhos verdes com ramificações, mas sem frutos, são os que foram atormentados por causa da lei, mas que não padeceram nem negaram a lei. E aqueles que devolveram seus galhos verdes como os haviam recebido são os veneráveis, os justos e aqueles que se conduziram zelosamente de coração puro, observando os mandamentos do Senhor. E o resto você saberá quando eu tiver examinado aqueles galhos que foram plantados e irrigados.

Capítulo 4

Alguns dias depois, voltamos a esse lugar, e o Pastor ocupou o assento do anjo, e eu fiquei de pé a seu lado. E ele me disse:

— Vista-se com linho caseiro branco e simples.

E vendo-me assim vestido e pronto para servir-lhe, disse-me:

— Chame os homens a quem pertencem os galhos que foram plantados, seguindo a ordem de entrega de cada um.

Então eu fui para a planície e chamei-os todos, e todos se puseram de pé enfileirados. Ele lhes disse:

— Cada um pegue seu próprio galho e traga-o para mim.

Os primeiros a fazerem a entrega foram aqueles que apresentavam galhos secos e cortados; e porque foram encontrados assim secos e cortados, ele mandou que ficassem separados. Em seguida vieram os que os entregaram secos, mas não cortados. E alguns deles entregaram seus galhos verdes, e alguns secos e acarunchados. Aqueles que os entregaram verdes, consequentemente, ele ordenou que ficassem separados; e aqueles que os entregaram secos e cortados, ele ordenou que ficassem junto aos primeiros. Em seguida vieram os que portavam galhos meio secos e com rachaduras; e muitos deles trouxeram galhos verdes e sem rachaduras; e alguns verdes e com ramos e frutos nos ramos, como os daqueles que, depois de coroados, foram para o interior da torre. E alguns os entregaram secos e carcomidos; e alguns secos, mas não carcomidos; e alguns tais como eram: meio secos e rachados. E ele mandou que cada um ficasse separado, alguns perto de suas próprias fileiras, outros longe delas.

Capítulo 5

Depois entregaram os galhos aqueles que os tinham verdes, mas rachados: todos esses entregaram seus galhos verdes e aguardaram em suas próprias fileiras. E o Pastor ficou satisfeito com eles, porque estavam todos mudados e haviam perdido suas rachaduras. E também os entregaram aqueles que tinham galhos metade verdes e metade secos: os galhos de alguns estavam completamente verdes; os de outros, metade secos; de outros, secos e carcomidos; de outros, verdes e apresentando ramos. Todos esses foram despachados, cada um para a sua fileira. [Em seguida, fizeram a entrega aqueles que tinham galhos dois terços verdes e um terço seco. Muitos os entregaram meio secos; outros, secos e podres; outros, meio secos e rachados; alguns, verdes. Esses permaneceram todos em sua própria fileira.] E entregaram seus galhos os que os tinham verdes, mas ligeiramente secos e rachados. Desses, alguns os entregaram verdes; outros, verdes e com ramificações. E esses também se encaminharam para sua própria fileira. Em seguida, fizeram a entrega os que tinham galhos com uma pequena parte verde e outras partes secas. Constatou-se que os galhos destes eram na maior parte verdes e tinham ramificações, e nas ramificações, frutos; outros, completamente verdes. Com esses galhos o Pastor ficou imensamente satisfeito, por eles se encontrarem nesse estado. E esses ele despachou, cada um para a sua fileira.

Capítulo 6

Depois que o pastor havia examinado os galhos de todos os presentes, ele me disse:

— Eu lhe disse que essa árvore era de uma espécie muito tenaz. Perceba — continuou — quantos se arrependeram e foram salvos.

— Percebo, meu senhor — repliquei.

— Que você possa ver — acrescentou ele — a grande misericórdia do Senhor, que ele é grande e glorioso e que enviou o Espírito Santo àqueles que são dignos de arrependimento.

— Por que, então, meu senhor — disse eu —, não se arrependeram todos?

Ele respondeu:

— Àqueles cujo coração ele viu que se tornaria puro e obediente a ele, ele deu poder de arrependimento de todo o coração. Mas àqueles cujo engano e fraqueza ele detectou e viu que eles tencionavam arrepender-se hipocritamente, ele não concedeu arrependimento, para que eles não profanassem de novo seu nome.

Eu lhe disse:

— Meu senhor, mostre-me agora, no que diz respeito aos que entregaram seus galhos, de que tipo são eles e sua residência, para que ouvindo isso aqueles que creram e receberam o selo e o violaram e não o preservaram intacto possam, ao tomar conhecimento de seus atos, arrepender-se e receber do senhor o selo e possam glorificar o Senhor porque ele se compadeceu deles e enviou o senhor para renovar o espírito deles.

— Ouça — disse ele. — Aqueles cujos galhos estavam secos ou acarunchados são os apóstatas e os traidores da Igreja, que blasfemaram contra o Senhor com seus pecados e, além disso, se envergonharam do nome do Senhor com o qual eles foram chamados. Esses, portanto, por fim se perderam para Deus. Veja que nenhum deles se arrependeu, ainda que tenham ouvido as palavras que você lhes disse, sob minha ordem. Desses a vida se perdeu. E aqueles que entregaram seus galhos secos e não decaídos, esses também estavam perto deles, pois eram hipócritas e promotores de doutrinas estranhas e subversivos dos servos de Deus, especialmente daqueles que haviam pecado, não lhes permitindo que se arrependessem, mas persuadindo-os com doutrinas tolas. Esses, consequentemente, têm esperança de arrependimento. E perceba que muitos deles também se arrependeram desde que falei com eles, e eles ainda se arrependerão. Mas todos aqueles que não se arrependeram perderam a vida; e todos aqueles que se arrependeram se tornaram bons, e sua habitação foi estabelecida dentro dos primeiros muros; e alguns deles subiram entrando na própria torre. Veja, portanto — disse ele —, que o arrependimento implica vida para pecadores, mas o não arrependimento significa morte.

Capítulo 7

— Ouça também sobre todos aqueles que entregaram os galhos meio secos e rachados. Aqueles cujos galhos estavam meio secos na mesma medida eram vacilantes; pois não estavam nem vivos nem mortos. E aqueles que apresentam seus galhos meio secos e com rachaduras são vacilantes e caluniadores, [os que falam mal dos ausentes,] nunca estando em paz uns com os outros, mas sempre discordando. E, no entanto, também para esses — continuou ele — o arrependimento é possível. Perceba — disse ele — que alguns deles se arrependeram, e ainda persiste neles uma esperança de arrependimento. E todos aqueles — acrescentou — que se arrependeram terão sua morada na torre. E aqueles que demoraram mais para arrepender-se morarão dentro dos muros. E todos aqueles que de modo algum se arrependem, mas persistem em seus atos, perecerão completamente. E aqueles que entregaram seus galhos verdes e rachados sempre foram fiéis e bons, embora competindo entre si para conseguir os melhores lugares e fama: ora, todos esses são tolos por se entregarem a essa competição. No entanto, eles também, sendo naturalmente bons, ouvindo meus mandamentos, purificaram-se e logo se arrependeram. Consequentemente, sua morada era na torre. Mas se alguém recair na competição, esse será expulso da torre e perderá a vida. A vida pertence àqueles que observam os mandamentos do Senhor; mas nos mandamentos não há competição no que diz respeito aos primeiros lugares, ou à glória de qualquer espécie, mas sim no que se refere à paciência e à humildade pessoal. Entre essas pessoas, então, está a vida do Senhor, mas entre os briguentos e os transgressores está a morte.

Capítulo 8

— E aqueles que entregaram seus galhos metade secos e metade verdes são os que estão imersos em negócios e não se apegam aos santos. Por essa razão, metade deles está viva, e a outra metade está morta. Muitos, em conformidade com isso, que ouviram meus mandamentos se arrependeram, e aqueles que pelo menos se arrependeram tiveram sua morada na torre. Mas alguns deles apostataram: esses, consequentemente, não têm arrependimento, pois devido a seus negócios blasfemaram do Senhor e o negaram. Esses, portanto, perderam a vida pelas maldades que cometeram. E muitos deles duvidaram. Ainda têm o arrependimento a seu dispor, caso se arrependam logo; e sua morada será dentro da torre. Mas se seu arrependimento demorar, eles morarão dentro dos muros. Se não se arrependerem, eles também perderão a vida. E aqueles que entregaram seus galhos com dois terços secos e um terço verde são os que negaram [o Senhor] de várias maneiras. Muitos, porém, se arrependeram, mas alguns deles hesitaram e ficaram em dúvida. Esses, então, têm o arrependimento a seu alcance, caso se arrependam logo e não persistam em seus prazeres; mas se continuarem em seus atos, esses também provocarão a própria morte.

Capítulo 9

— E aqueles que devolveram seus galhos com dois terços secos e um terço verde são os que foram de fato fiéis; mas, depois de adquirirem riquezas e se distinguirem entre os pagãos, revestiram-se de muito orgulho, tornaram-se cheios de si e abandonaram a verdade. Não se apegaram aos justos, mas conviveram com os pagãos, e esse modo de vida se tornou mais agradável a eles. Eles, porém, não se afastaram de Deus, mas permaneceram na fé, mesmo não a pondo em prática. Muitos deles, consequentemente, se arrependeram, e foram morar na torre. E outros que continuam até o fim convivendo com os pagãos, e sendo corrompidos por sua vanglória, [abandonaram Deus, praticando as obras dos pagãos.] Esses foram considerados pagãos. Mas outros dentre eles hesitaram, não esperando a salvação por causa dos atos que praticaram; enquanto outros ficaram em dúvida e causaram divisões em seu meio. Para esses, portanto, que ficaram em dúvida por causa de seus atos, o arrependimento é ainda possível; mas precisa vir logo, para que a morada deles seja na torre. E para aqueles que não se arrependem, mas persistem em seus prazeres, a morte está próxima.

Capítulo 10

— E aqueles que entregaram seus galhos verdes, mas com as pontas secas e quebradas, esses sempre foram bons, fiéis e notáveis perante Deus. Mas eles cometeram pecados menores entregando-se a pequenos desejos, achando pequenos defeitos uns nos outros. Mas ao ouvir minhas palavras, a maioria deles logo se arrependeu, e sua morada era na torre. No entanto, alguns deles estavam em dúvida; e alguns dos que estavam em dúvida causaram muita discórdia. Entre esses, portanto, há esperança de arrependimento, porque eles sempre foram bons, e é difícil que algum deles venha a perecer. E aqueles que entregaram seus galhos secos, mas apresentando uma mínima parte verde, são os que apenas creram, mas continuaram na prática de iniquidades. Eles, porém, nunca se afastaram de Deus, mas de boa mente ostentaram seu nome e receberam os servos dele em suas casas. Tendo desse modo ouvido falar do arrependimento, eles se arrependeram sem hesitar, e praticam toda virtude e justiça; e alguns deles até padeceram, [enfrentando voluntariamente a própria morte], cientes dos atos que haviam praticado. De todos esses, portanto, a morada será na torre.

Capítulo 11

E depois que concluiu as explicações referentes a todos os galhos, ele me disse:

— Vá e diga a todo mundo que eles podem se arrepender e que viverão para Deus. Pois o Senhor, compadecendo-se de todos os homens, me enviou para trazer o arrependimento, embora alguns não sejam dignos dele por causa de suas obras. Mas o Senhor, sendo muito paciente, deseja que todos que foram chamados por seu Filho sejam salvos.

Eu lhe disse:

— Meu senhor, espero que todos que ouviram essas explicações se arrependam; pois estou persuadido de que cada um, tomando consciência de suas próprias obras e temendo o Senhor, se arrependerá.

Ele me respondeu, dizendo:

— Todos que de todo o coração se purificarem de suas perversidades mencionadas acima e não cometerem outros pecados receberão do Senhor a cura de suas transgressões anteriores; se não hesitarem em relação a esses mandamentos, eles viverão para Deus. Mas siga o caminho de meus mandamentos, e viva.

Tendo-me mostrado essas coisas e proferido essas palavras, ele me disse:

— E o resto eu lhe mostrarei dentro de alguns dias.

Nona comparação
Os grandes mistérios na construção da Igreja militante e triunfante

Capítulo 1

Depois que eu havia escrito os mandamentos e as comparações do Pastor, o anjo do arrependimento, ele veio a meu encontro e me disse:

— Gostaria de lhe explicar o que lhe mostrou o Espírito Santo que conversou com você na forma da Igreja, pois aquele Espírito é o Filho de Deus. Pois quando você cedeu às tentações da carne, isso não lhe foi explicado pelo anjo. Quando, porém, você foi fortalecido pelo Espírito, e sua força aumentou de modo que você pôde ver também o anjo, então, em conformidade com isso, a construção da torre lhe foi mostrada pela Igreja. De um modo nobre e solene você viu tudo como se lhe fosse mostrado por uma virgem; mas agora você vê tudo através do Espírito como se lhe fosse mostrado por um anjo. Você deve, porém, aprender tudo de mim com muita precisão. Pois para isso fui enviado pelo glorioso anjo para morar em sua casa, a fim de que você possa ver todas as coisas com coragem, não alimentando nenhum medo, exatamente como era antes.

E ele me levou para o interior da Arcádia, até uma colina arredondada. Colocou-me no topo da colina e mostrou-me uma vasta planície, circundada por doze montanhas, todas com formas diferentes. A primeira era preta como a fuligem; a segunda, inóspita e desprovida de vegetação; e a terceira, repleta de cardos e espinhos; e a quarta, coberta de vegetação meio seca: as partes superiores das plantas estavam verdes e as partes perto das raízes estavam secas; e parte da vegetação, quando o sol a castigava, ficava seca. E a quinta montanha tinha grama verde e era escabrosa. E a sexta montanha mostrava muitas fendas, algumas pequenas e outras grandes; e as fendas estavam cobertas de grama, mas as plantas não eram muito vigorosas; estavam, por assim dizer, deterioradas. A sétima montanha apresentava, porém, alegres pastagens e estava toda exuberante, e todas as espécies de animais e pássaros se alimentavam nessa montanha; e quanto mais os animais e os pássaros comiam, tanto mais a grama vicejava. E a oitava montanha estava cheia de fontes, e todas as espécies de criaturas do Senhor bebiam das fontes dessa montanha. Mas a nona montanha [não tinha absolutamente água e era totalmente deserta, e continha serpentes mortíferas, que aniquilam homens. E a décima montanha] tinha grandes árvores e estava completamente coberta de sombras, e à sombra das árvores apareciam ovelhas deitadas descansando e ruminando. E a undécima montanha era densamente arborizada, e as árvores eram produtivas e estavam adornadas com várias espécies de frutos, de modo que quem as visse desejava comer de seus frutos. A duodécima montanha, porém, era completamente branca, e seu aspecto era alegre, e a montanha em si era muito bonita.

Capítulo 2

E no meio da planície ele me mostrou uma imensa rocha que surgira da paisagem. E a rocha era mais alta que as montanhas, tinha forma retangular e podia conter o mundo inteiro: e aquela rocha era antiga, e tinha uma porta recortada na pedra; a porta parecia ter sido feita recentemente. Ela resplandecia com tal intensidade aos raios do sol que seu esplendor me encantou. Ao redor da porta, postadas de pé, estavam doze virgens. As quatro postadas junto aos cantos pareciam ser mais distintas que as outras — mas todas eram distintas — e estavam de pé junto aos quatro lados da porta; duas virgens entre cada ponto. E elas vestiam túnicas de linho, usavam cintos graciosos, tendo o ombro direito exposto, como se estivessem prestes a carregar algum fardo. Assim elas permaneciam prontas, e estavam muito alegres e ansiosas. Depois de ver essas coisas, fui tomado por um sentimento de admiração, porque estava diante de uma visão importante e gloriosa. E além disso me senti intrigado com as virgens, porque, embora tão delicadas, elas estavam ali corajosamente postadas, como se prestes a carregar os céus inteiros. E o Pastor me disse:

— Por que você debate consigo mesmo, desconcertando sua mente e se atormentando? Não tente compreender, como se você fosse sábio, coisas que não consegue entender; mas peça ao Senhor que lhe conceda entendimento e você possa conhecê-las. Você não consegue enxergar o que está atrás de você, mas enxerga o que está a sua frente. Portanto, tudo aquilo que não consegue enxergar, deixe estar, e não se atormente com isso. Mas domine o que você consegue enxergar e não desperdice esforços com outras coisas; e eu lhe explicarei tudo o que lhe mostrar. Observe, portanto, as outras coisas.

Capítulo 3

Vi seis homens se aproximando: altos, distintos e semelhantes em aparência. E eles convocaram uma multidão de outros homens. Os que se apresentaram também eram altos, belos e fortes; e os seis homens ordenaram que eles construíssem uma torre em cima da rocha. Grande era o barulho dos homens que vieram para construir a torre, correndo de um lado para outro ao redor da porta. E as virgens postadas junto à porta lhes pediram que se apressassem na construção da torre. Agora as virgens estavam de mãos abertas estendidas, como se prestes a receber alguma coisa dos homens. E os seis homens ordenaram que pedras saíssem de certa mina para serem usadas na construção da torre. E surgiram dez cintilantes pedras retangulares, que não haviam sido lavradas em lugar algum. E os seis homens chamaram as virgens e lhes ordenaram que carregassem todas as pedras escolhidas para a construção, que as fizessem passar pela porta e as entregassem aos homens que estavam ali para construir a torre. E as virgens ajeitaram sobre os próprios ombros cada uma das dez pedras extraídas do poço e, uma por uma, as carregaram.

Capítulo 4

Mantendo a ordem de suas posições junto à porta, as virgens que pareciam fortes as carregaram: elas se curvaram sob os cantos da pedra; e as outras se curvaram sob as laterais. E desse modo carregaram todas as pedras. E as levaram através da porta seguindo a ordem recebida, e as entregaram aos homens para a construção da torre; estes apanharam as pedras e deram início à construção. Ora, a torre foi construída sobre a grande rocha e acima da porta. Aquelas dez pedras foram preparadas para fundamentar a construção da torre. A rocha e a porta sustentavam toda a torre. E depois das dez pedras outras vinte [e cinco] saíram do poço e foram encaixadas na construção da torre, depois de recebidas pelas virgens como as de antes. E depois subiram trinta e cinco pedras. E da mesma maneira foram encaixadas na torre. E depois dessas subiram outras quarenta; e todas foram usadas na construção da torre, [e havia quatro fileiras na fundação da torre;] e então as pedras pararam de sair do poço. E os construtores fizeram uma pequena pausa. E novamente os seis homens mandaram a multidão trazer pedras das montanhas para a construção da torre.

De todas as montanhas e de várias cores foram elas trazidas e, depois de lavradas pelos homens, eram entregues às virgens; e as virgens as carregavam através da porta e as entregavam para a construção da torre. E quando as pedras de várias cores eram encaixadas na construção, todas se tornavam igualmente brancas, perdendo suas diferentes cores. E certas pedras eram entregues aos homens para a construção, e essas não se tornavam brilhantes; mas depois que eram encaixadas, como eram assim ficavam: porque não eram entregues pelas mãos das virgens, nem carregadas por elas através da porta. Essas pedras, portanto, não combinavam com as outras na torre. E os seis homens, vendo essas pedras inadequadas na construção, ordenaram que elas fossem retiradas e levadas de volta para o lugar de onde tinham sido extraídas; [e sendo removidas uma por uma, elas eram colocadas à parte e] eles disseram aos homens que as trouxeram:

— Não tragam mais pedras para a construção, mas deixem-nas perto da torre, para que as virgens possam trazê-las pela porta e entregá-las para a construção. Pois — disseram eles — se elas não forem carregadas através da porta pelas mãos das virgens, não podem mudar sua cor: não trabalhem, portanto, em vão.

Capítulo 5

E terminou naquele dia a construção, mas a torre não estava acabada. Devia-se retomar a construção, mas houve uma paralisação na obra. E os seis homens ordenaram que todos os construtores se afastassem um pouco e descansassem, mas ordenaram que as virgens permanecessem junto à torre; e me pareceu que elas haviam sido deixadas lá para guardar a torre. Agora, depois que todos tinham se afastado e estavam descansando, eu disse ao Pastor:

— Por que motivo a construção da torre não foi concluída?

— A torre — respondeu ele — não pode ser acabada por enquanto, antes que o Senhor dela venha examinar a construção para que, se algumas pedras forem consideradas defeituosas, ele possa trocá-las: pois a torre é construída para seu agrado.

— Gostaria de saber, meu senhor — disse eu —, qual é o significado da construção dessa torre, e o que significam a rocha, a porta, as montanhas, as virgens e as pedras que saíram do poço da mina e não foram lavradas, mas foram para a construção como estavam. Por que, em primeiro lugar, foram usadas dez pedras na fundação, depois vinte e cinco, depois trinta e cinco, depois quarenta? Gostaria também de saber sobre as pedras que foram usadas na construção e depois foram retiradas e devolvidas a seus lugares de origem. Sobre todos esses pontos, mate minha curiosidade, senhor, com suas explicações.

— Se eu perceber que você não está interessado em ninharias — respondeu ele —, saberá de tudo isso. Pois daqui a alguns dias [nós voltaremos aqui, e você verá outras coisas que acontecem com essa torre e entenderá perfeitamente todas as comparações.

Depois de alguns dias] voltamos para aquele lugar e nos sentamos. E ele me disse:

— Vamos para a torre; pois o senhor dela vai chegar para examiná-la.

E voltamos para a torre, e não havia absolutamente ninguém perto dela, exceto as virgens. E o Pastor perguntou-lhes se por acaso o senhor da torre havia chegado; e elas responderam que estava prestes a chegar para examinar a construção.

Capítulo 6

E eis que, após um breve espaço de tempo, vejo um cortejo de homens se aproximando, e no meio deles um homem de tamanho tão extraordinário que se elevava acima da torre. E os seis homens que haviam trabalhado na construção estavam com ele, e havia muitos outros homens respeitáveis a seu redor. E as virgens que guardavam a torre saíram a seu encontro e o beijaram e se puseram a caminhar com ele ao redor da torre. E aquele homem examinou cuidadosamente a construção, tocando cada pedra individualmente; e empunhando um cetro batia com ele três vezes em cada pedra da construção. E quando eram golpeadas, algumas delas tornavam-se pretas como fuligem, algumas ficavam cobertas de falhas, algumas se rachavam, algumas ficavam mutiladas, algumas ficavam cinzentas, algumas se tornavam ásperas e destoavam das outras e algumas apresentavam [muitas] manchas: essas eram as variedades das pedras defeituosas que apareceram na construção. Ele ordenou que essas fossem retiradas da torre e colocadas ao lado dela e outras pedras fossem trazidas para substituí-las. [E os construtores lhe perguntaram de qual montanha ele desejava que elas fossem extraídas e usadas.] E ele não ordenou que elas fossem trazidas das montanhas, [mas mandou que as trouxessem de certa planície das redondezas]. E a planície foi escavada, e brilhantes pedras retangulares foram descobertas e também algumas de formato redondo; e todas as pedras encontradas na planície foram trazidas e carregadas pelas virgens através da porta. E as pedras retangulares foram lavradas e encaixadas no lugar das que foram retiradas; mas as redondas não foram inseridas na construção porque eram difíceis de lavrar e pareciam resistir à talhadeira. Essas, porém, eram depositadas junto à torre, como se houvesse a intenção de desbastá-las mais tarde e usá-las na construção, pois eram extremamente brilhantes.

CAPÍTULO 7

Aquele homem glorioso, o dono da torre toda, depois de terminar essas devidas alterações, chamou o Pastor e lhe entregou todas as pedras que estavam junto à torre, as que tinham sido rejeitadas da construção, e lhe disse:

— Limpe cuidadosamente todas estas pedras e separe para a construção aquelas que combinam com as outras. E aquelas que não combinam, jogue-as para longe da torre.

[Tendo dado essas ordens ao Pastor, ele deixou o local], com todos os que tinham vindo com ele. Agora as virgens estavam em volta da torre, guardando-a. Eu disse novamente ao Pastor:

— Essas pedras podem voltar para a construção da torre, depois de terem sido rejeitadas?

Ele me respondeu, dizendo:

— Você está vendo estas pedras?

— Estou sim, senhor — respondi.

— A maior parte delas — disse ele — eu vou lavrar e encaixar na construção, e elas vão se harmonizar com as outras.

— Como, senhor — perguntei —, podem elas ocupar o mesmo lugar depois de terem sido desbastadas de todos os lados?

Ele respondeu:

— As que eu constatar que são pequenas serão usadas no interior da construção, e as que são maiores serão colocadas do lado de fora, e estas segurarão as pequenas.

Depois dessas palavras, ele me disse:

— Vamos embora. Voltaremos daqui a dois dias para limpar as pedras e encaixá-las na construção; pois tudo deve ficar limpo ao redor da torre, para que uma inesperada visita do Dono não venha a encontrar os entornos da torre sujos e ele se desagrade com isso, e estas pedras não possam voltar para a construção da torre, de modo que eu também seja considerado negligente em relação ao Dono.

E depois de dois dias voltamos para a torre, e ele me disse:

— Vamos examinar todas as pedras e verificar quais podem voltar para a torre.

Eu lhe disse:

— Meu senhor, vamos examiná-las!

Capítulo 8

E começamos o trabalho, examinando primeiro as pedras pretas. Elas se encontravam tais quais foram retiradas da construção. E o Pastor ordenou que fossem removidas da torre para um lugar separado. Em seguida, examinou as que apresentavam falhas, e tomou muitas delas e as lavrou, e depois ordenou que as virgens as levassem e encaixassem na construção. E as virgens as levaram e inseriram na parte interior da torre. E o resto ele mandou depositar junto às pedras pretas, pois se constatou que elas também eram dessa cor. Em seguida ele examinou as que apresentavam rachaduras; lavrou muitas delas e ordenou que fossem levadas pelas virgens para a construção: estas foram encaixadas na parte exterior, porque se constatou que eram mais sólidas que as outras. Mas o resto, devido às falhas excessivas, não puderam ser lavradas e por isso foram excluídas da construção da torre. Em seguida ele examinou as pedras lascadas, e constatou-se que muitas delas eram pretas e algumas apresentavam grandes rachaduras. Essas também ele mandou depositar junto às rejeitadas. Mas as restantes, depois de limpas e lavradas, ordenou que fossem encaixadas na construção. E as virgens as apanharam e as carregaram para o interior da construção da torre, pois elas eram um pouco frágeis. Em seguida ele examinou aquelas que eram cinzentas, meio brancas e meio pretas, e constatou-se que muitas delas eram pretas. E ele ordenou que essas fossem levadas dali para junto das rejeitadas. E as demais foram levadas pelas virgens, pois, sendo brancas, foram encaixadas na construção pelas próprias mãos delas. E foram colocadas na parte exterior, porque se constatou que eram sólidas, de modo que podiam suportar as que foram colocadas na parte interior, pois nenhuma delas estava minimamente lascada. Em seguida ele examinou as que eram ásperas e rígidas, e destas algumas foram rejeitadas, pois se constatou que não podiam ser lavradas porque eram extremamente duras. Mas as que restaram foram lavradas e carregadas pelas virgens e encaixadas na parte interior da construção da torre, visto que eram um pouco frágeis. Em seguida ele examinou as que apresentavam manchas, e pouquíssimas destas eram pretas e foram deixadas junto com as outras descartadas; mas constatou-se que na maioria eram brilhantes, e estas foram encaixadas na construção pelas virgens. Todavia, devido a sua resistência, foram colocadas na parte exterior.

Capítulo 9

Passando em seguida a examinar as pedras brancas e redondas, ele me disse:

— Que devemos fazer com estas pedras?

— Como vou saber, meu senhor? — respondi.

— Você não tem planos para elas? — perguntou.

— Meu senhor — respondi —, não domino essa arte, não sou lavrador de pedras e não sei dizer.

— Você não está vendo — disse ele — que elas são redondas demais e que, se eu quiser deixá-las retangulares, uma grande parte de cada pedra deve ser cortada? Está claro que algumas devem necessariamente ser encaixadas na construção.

— Se, portanto — disse eu —, é assim que deve ser, por que o senhor fica se atormentando em vez de escolher logo as que prefere e encaixá-las na construção?

Ele escolheu as maiores e as mais brilhantes dentre elas e as lavrou, e as virgens as levaram e encaixaram na parte exterior da construção. E as que sobraram foram levadas embora e depositadas na planície de onde haviam sido trazidas. Não foram, porém, rejeitadas.

— Porque — disse ele — ainda falta uma pequena parte na construção da torre. E o senhor desta torre deseja que todas essas pedras sejam encaixadas na construção porque são muito brilhantes.

E foram chamadas doze mulheres, de corpo muito bonito, vestidas de preto e tendo os cabelos desalinhados. Elas me pareceram ameaçadoras. Mas o Pastor lhes ordenou que apanhassem as pedras que foram rejeitadas para a construção e as levassem para as montanhas de onde haviam sido trazidas. E elas ficaram contentes e levaram todas as pedras embora e as colocaram no lugar de onde haviam sido tiradas. Agora, depois da remoção de todas as pedras, quando não havia mais nenhuma caída em volta da torre, ele disse:

— Vamos caminhar ao redor da construção e inspecionar, para que não haja na torre nenhum defeito.

Assim, caminhei com ele ao redor da torre. Verificando que ela era uma construção maravilhosa, o Pastor se alegrou imensamente; pois ela fora construída de tal modo que, ao vê-la, invejei o trabalho da construção, pois estava estruturada como se fosse feita de uma única pedra, sem um único ponto de junção. E parecia que a pedra fora extraída da rocha e lavrada. Para mim parecia um monólito.

Capítulo 10

E enquanto eu caminhava com ele, sentia-me cheio de alegria ao contemplar tantas coisas excelentes. E o Pastor me disse:

— Vá apanhar cal virgem e argila fina para que eu possa calafetar as formas das pedras que foram trocadas na construção; pois tudo nesta torre deve ser liso.

E eu fiz o que ele mandou, trazendo-lhe o que pediu.

— Ajude-me — disse ele —, e a obra logo estará terminada.

Assim fazendo, ele rejuntou as formas das pedras que haviam sido reutilizadas na construção e mandou que os espaços em volta da torre fossem varridos e limpos. E as virgens trouxeram vassouras e varreram tudo, levaram o entulho da torre, trouxeram água, e o chão ao redor da torre tornou-se alegre e muito bonito. Disse-me então o Pastor:

— Tudo foi limpo. Se o senhor da torre vier inspecioná-la, não vai descobrir nenhuma falha nossa.

Ditas essas palavras, ele fez menção de ir embora, mas eu o segurei pelo alforje e me pus a implorar pelo Senhor que me explicasse o que me havia mostrado. Ele me disse:

— Preciso descansar um pouco; depois lhe explicarei tudo. Espere aqui até eu voltar.

Eu lhe disse:

— Meu senhor, que posso fazer aqui sozinho?

— Você não está sozinho — disse ele —, pois as virgens estão com você.

— Então, entregue-me aos cuidados delas — respondi.

O Pastor as chamou e lhes disse:

— Eu o confio a vocês até meu retorno — e foi embora.

E eu fiquei sozinho com as virgens; e elas estavam bastante alegres, mas foram amáveis comigo, especialmente as quatro delas que eram mais distintas.

Capítulo 11

As virgens me disseram:

— O Pastor não vem aqui hoje.

— Que devo então fazer? — disse eu.

Elas responderam:

— Espere até ele voltar. Se ele voltar, conversará com você; se não voltar, você vai ficar aqui conosco até a volta dele.

E eu lhes disse:

— Vou esperar aqui até tarde; e se ele não chegar, irei embora para casa e voltarei amanhã de manhã.

E elas me responderam, dizendo:

— Você foi confiado aos nossos cuidados; não pode nos deixar.

— Onde, então — disse eu —, devo ficar?

— Você dormirá conosco — responderam elas — como irmão, não como marido; pois você é nosso irmão, e para o futuro nós pretendemos ficar com você, pois o amamos muitíssimo!

Mas eu me sentia envergonhado de ficar com elas. E aquela que me parecia ser a primeira entre elas começou a me beijar. [E as outras, ao vê-la me beijar, começaram também a me beijar], e me conduziram ao redor da torre, brincando comigo. Eu também me senti como um adolescente e comecei a brincar com elas: algumas delas formavam um coro, outras dançavam e outras cantavam; e eu, em silêncio, caminhava com elas ao redor da torre e me sentia muito alegre junto delas. Quando ficou tarde, fiz menção de ir para casa; mas elas não me deixaram: detiveram-me. Assim fiquei com elas durante a noite e dormi junto à torre. Agora as virgens estenderam suas túnicas de linho sobre o chão e me fizeram deitar no meio delas; e elas não fizeram absolutamente nada além de orar; e eu, sem cessar, orei com elas da mesma forma. E as virgens se alegraram vendo-me orar assim. Fiquei com elas até a hora segunda do dia seguinte. Então, o Pastor voltou e disse às virgens:

— Vocês lhe fizeram algum insulto?

— Pergunte a ele — disseram elas.

E eu lhe disse:

— Meu senhor, eu me alegrei muito na companhia delas.

— O que lhe serviram no jantar? — perguntou.

— Alimentei-me, senhor — respondi —, das palavras do Senhor a noite inteira.

— Elas o receberam bem? — indagou ele.

— Sim, meu senhor — respondi.

— E agora — disse ele — o que é que você deseja ouvir primeiro?

— Gostaria de ouvir tudo na ordem em que as coisas me foram mostradas desde o início. Peço-lhe, meu senhor, que me dê explicações à medida que eu perguntar.

— Conforme seu desejo — respondeu ele — eu lhe darei explicações e nada esconderei de você.

Capítulo 12

— Em primeiro lugar, meu senhor, explique-me o seguinte: qual é o significado da rocha e da porta?

— Esta rocha — respondeu ele — e esta porta são o Filho de Deus.

— Como assim, meu senhor? — disse eu.

— A rocha é antiga, e a porta é nova.

— Ouça — disse ele — e entenda, ó homem ignorante. O Filho de Deus é mais antigo que todas as suas criaturas, de modo que ele foi conselheiro do Pai em sua obra da criação; por isso ele é antigo.

— E por que a porta é nova, meu senhor? — disse eu.

— Porque — respondeu ele — ele se revelou nos últimos dias da dispensação. Por esse motivo a porta que foi feita é nova: para que aqueles que devem ser salvos possam entrar por ela no reino de Deus. Você viu — disse ele — que as pedras que entraram pela porta foram usadas na construção da torre, e aquelas que não entraram por ela foram devolvidas a seu lugar de origem?

— Eu vi, meu senhor — respondi.

— Da mesma forma — continuou — ninguém entrará no reino de Deus, a menos que receba dele seu santo nome. Pois se você deseja entrar numa cidade, e ela está cercada por um muro e tem uma única porta, será que você pode entrar ali sem passar por aquela porta?

— Ora, como poderia ser de outra forma, senhor? — disse eu.

— Se, então, você não pode entrar na cidade, a não ser através da porta que ela tem, assim, de modo semelhante, um homem não dispõe de outra maneira de entrar no reino de Deus que não seja por meio do nome de seu Filho bem-amado. Você viu — disse ele — a multidão que estava construindo a torre?

— Vi sim, meu senhor — disse eu.

— Aqueles são todos anjos gloriosos, e, consequentemente, são eles que cercam o Senhor. E a porta é o Filho de Deus. Essa é a única entrada que dá acesso ao Senhor. Não existe nenhuma outra maneira, portanto, que permita a alguém ter acesso a ele, a não ser através de seu Filho. Você viu — continuou ele — os seis homens e aquele homem magnífico entre eles que caminhou ao redor da torre e excluiu algumas pedras da construção?

— Vi sim, senhor — disse eu.

— O homem magnífico — disse ele — é o Filho de Deus, e os seis anjos gloriosos são os que o defendem à esquerda e à direita. Nenhum desses anjos gloriosos — continuou — terá acesso a Deus, a não ser ao lado dele. Quem não receber seu nome não entrará no reino de Deus.

Capítulo 13

— E a torre — perguntei —, o que significa?

— Essa torre — respondeu ele — é a Igreja.

— E essas virgens, quem são elas?

— Elas são os santos espíritos, e os homens não podem de outro modo ter acesso ao reino de Deus se elas não os revestirem de suas vestes: pois se alguém receber apenas o nome e delas não receber as vestes não usufruirá de nenhum benefício. Pois essas virgens são os poderes do Filho de Deus. Se você ostentar o nome dele, mas não tiver seu poder, ostentará seu nome em vão. Aquelas pedras — continuou — que você viu rejeitadas ostentavam o nome dele, mas não se revestiram das vestes das virgens.

— De que natureza são as vestes delas, meu senhor? — perguntei.

— O próprio nome delas — respondeu — são suas vestes. Todos os que ostentam o nome do Filho de Deus devem ostentar também o nome delas, pois o próprio Filho de Deus ostenta o nome dessas virgens. Todas as pedras — continuou — que você viu [entrando na construção da torre pelas mãos] dessas virgens, e ali permanecendo, foram revestidas do poder delas. Por essa razão, você viu que a torre se tornou uma pedra única com a rocha. Assim também aqueles que creram no Senhor por meio de seu Filho e estão revestidos desses espíritos virão a ser um só espírito, um só corpo, e a cor de suas vestes será uma só. E a morada desses que ostentam os nomes das virgens situa-se dentro da torre.

— Aquelas pedras, meu senhor, que foram rejeitadas — indaguei —, por qual motivo foram rejeitadas, depois de passarem pela porta e serem encaixadas na construção da torre pelas mãos das virgens?

— Uma vez que você se interessa por tudo — respondeu ele — e tudo examina minuciosamente, ouça sobre as pedras que foram rejeitadas. Esses todos — disse ele — receberam o nome de Deus e receberam também o poder das virgens. Tendo, então, recebido esses espíritos, eles se tornaram fortes e conviveram com os servos de Deus; e tinham um só espírito, um só corpo e uma só veste, pois eram unânimes e construíam a justiça. Todavia, depois de certo tempo, eles foram persuadidos por aquelas mulheres que você viu vestidas de preto, com os ombros expostos, os cabelos ao vento e de bela aparência. Tendo visto essas mulheres, eles desejaram possuí-las e se revestiram do poder delas e depuseram as vestes das virgens. Esses, consequentemente, foram excluídos da construção da casa de Deus e foram entregues a essas mulheres. Mas aqueles que não se deixaram enganar pela beleza delas permaneceram na casa de Deus. Você tem agora — disse ele — a explicação dos que foram rejeitados.

Capítulo 14

— O que acontecerá, então — disse eu —, se esses homens, sendo como são, se arrependerem e abandonarem seus desejos por essas mulheres e voltarem para as virgens e viverem com a força delas praticando suas obras, não entrarão eles na casa de Deus?

— Eles entrarão — disse ele — se abandonarem as obras dessas mulheres e se revestirem novamente da força das virgens e praticarem suas obras. Pois foi por esse motivo que houve uma interrupção na construção: para que, se esses se arrependerem, possam ter parte na construção da torre. Mas se não se arrependerem, então outros ocuparão seu lugar, e esses no fim serão descartados.

Por todas essas coisas eu dei graças a Deus, porque ele teve compaixão por todos os que invocam seu nome e enviou o anjo do arrependimento para nós que pecamos contra ele e renovou nosso espírito. E quando já estávamos destruídos e não tínhamos esperança de vida, ele nos resgatou para uma vida nova.

— Agora, meu senhor — continuei —, explique-me por que a torre não foi construída sobre o chão, mas sobre a rocha e sobre a porta.

— Você ainda é insensato e obtuso? — perguntou.

— Meu senhor — disse eu —, preciso dirigir-lhe todas essas perguntas porque me sinto totalmente incapaz de entendê-las, pois são todas coisas grandiosas e gloriosas e difíceis para o entendimento humano.

— Ouça — disse ele. — O nome do Filho de Deus é grande: não pode ser contido e sustenta o mundo inteiro. Se, portanto, toda a criação é sustentada pelo Filho do Homem, o que pensa você dos que são chamados pelo Filho de Deus, ostentam seu nome e seguem seus mandamentos? Você percebe que tipo de pessoas ele sustenta? Os que ostentam o nome dele de todo o coração. Ele mesmo, consequentemente, tornou-se a fundação deles e os sustenta com alegria, porque eles não se envergonham de ostentar seu nome.

Capítulo 15

— Explique-me, senhor — disse eu —, os nomes dessas virgens e os daquelas mulheres vestidas de preto.

— Ouça — disse ele — os nomes das virgens mais fortes postadas nos cantos. A primeira é Fé, a segunda é Continência, a terceira é Força, a quarta é Paciência. E as outras postadas no meio delas têm os seguintes nomes: Simplicidade, Inocência, Pureza, Alegria, Verdade, Compreensão, Concórdia e Caridade. Quem ostenta esses nomes e aquele do Filho de Deus estará apto para entrar no reino de Deus. Ouça também — continuou — os nomes das mulheres vestidas de preto, quatro das quais são as mais fortes de todas. A primeira é Descrença; a segunda, Incontinência; a terceira, Desobediência; a quarta, Falsidade. E suas seguidoras são Tristeza, Maldade, Malícia, Ira, Falsidade, Loucura, Calúnia, Aversão. O servo de Deus que ostentar esses nomes realmente verá o reino de Deus, mas não entrará nele.

— E as pedras, meu senhor — disse eu —, que foram extraídas do poço da mina e encaixadas na construção: que são elas?

— As primeiras — disse ele —, isto é, as dez que foram usadas na fundação, são a primeira geração de justos, e as vinte e cinco seguintes são a segunda geração; as trinta e cinco seguintes são os profetas de Deus e seus ministros; as outras quarenta são os apóstolos e pregadores do Filho de Deus.

— Por que, então, meu senhor — perguntei —, as virgens carregaram também essas pedras através da porta e as entregaram aos construtores da torre?

— Porque — respondeu ele — elas representam os primeiros que ostentaram esses espíritos e nunca se separaram uns dos outros, nem os espíritos se separaram dos homens, nem os homens se separaram dos espíritos, mas permaneceram juntos até adormecerem. E se os homens não tivessem tido consigo esses espíritos, eles nunca teriam sido úteis para a construção da torre.

Capítulo 16

— Explique-me mais algumas coisas, meu senhor — disse eu.

— O que é que você deseja saber? — perguntou ele.

— Por que, meu senhor — disse eu —, essas pedras saíram do poço e foram usadas na construção da torre, depois de terem sido carregadas por esses espíritos?

— Elas tiveram — disse ele — de subir do poço passando pela água para que pudessem ter vida; pois, se elas não abandonassem seu estado de apatia, não poderiam de nenhum outro modo entrar no reino de Deus. Consequentemente, também os que morreram receberam o selo do Filho de Deus. Pois — continuou — antes de ostentar o nome do Filho de Deus o homem está morto; mas quando ele recebe o selo, deixa de lado seu estado de mortal apatia e obtém vida. O selo, portanto, é a água. As pessoas entram na água mortas e saem dela vivas. A elas, consequentemente, foi anunciado esse selo, e elas fizeram uso dele para que pudessem entrar no reino de Deus.

— Por que, meu senhor — perguntei —, as quarenta pedras também subiram com elas saindo do poço, depois de já haverem recebido o selo?

— Porque — disse ele — esses apóstolos e pregadores do nome do Filho de Deus, depois de terem adormecido no poder e na fé do Filho de Deus, aos que estavam dormindo não apenas pregaram o nome, mas também lhes conferiram o selo da própria pregação. Consequentemente, desceram com eles na água e novamente subiram. [Mas esses apóstolos e pregadores desceram vivos e subiram vivos, ao passo que aqueles que haviam adormecido antes desceram mortos, mas ressurgiram vivos.] Por esses, portanto, eles foram despertados e vieram a conhecer o nome do Filho de Deus. Por essa razão, também subiram com os apóstolos e pregadores e foram encaixados juntamente com eles na construção da torre e, sem serem burilados, a eles se adequaram. Pois adormeceram na justiça e em estado de grande pureza, mas simplesmente não tinham o selo. Você aí tem, portanto, a explicação também do caso deles.

Capítulo 17

— Entendo, senhor — respondi. — Agora, explique-me, em relação às montanhas, por que suas formas são variadas e diversas?

— Ouça — disse ele. — Essas montanhas são as doze tribos, que povoam o mundo. O Filho de Deus, consequentemente, foi-lhes pregado pelos [doze] apóstolos.

— Mas por que essas montanhas são de natureza tão diversa, algumas tendo uma forma, e outras, outra? Explique-me isso, senhor.

— Ouça — respondeu ele. — Essas doze tribos que povoam o mundo inteiro são doze nações. E elas variam em prudência e compreensão. Portanto, tão numerosas quanto as diversas montanhas que você viu são também as diversas formas de mentalidade e entendimento entre essas nações. E eu lhe explicarei as ações de cada uma.

— Primeiro, meu senhor — disse eu —, explique-me o seguinte: por que, sendo as montanhas tão diversas, suas pedras, quando encaixadas na construção, ficaram de uma só cor, brilhando como as que haviam saído do poço?

— Porque — disse ele — todas as nações que vivem sob o céu foram chamadas para ouvir e crer no nome do Filho de Deus. Tendo, portanto, recebido o selo, elas tinham uma só compreensão e uma única mente; e sua fé se tornou uma só, e sua caridade uma só, e com o nome elas também ostentavam os espíritos das virgens. Por causa disso a construção da torre assumiu uma só cor, brilhante como o sol. Mas depois que elas haviam entrado no mesmo lugar e se transformado num só corpo, algumas dentre elas se profanaram e foram expulsas da estirpe dos justos e tornaram-se novamente o que eram antes, se não piores.

Capítulo 18

— Como, senhor — disse eu —, ficaram piores depois de terem conhecido Deus?

— Quem não conhece Deus — respondeu — e pratica o mal recebe determinado castigo por sua maldade; mas quem já conhece Deus não deve mais praticar o mal, mas sim o bem. Se, consequentemente, quem deve fazer o bem, fizer o mal, esse não parece cometer uma maldade maior que a de quem não conhece Deus? Por essa razão, aqueles que não conheceram Deus e praticaram o mal são condenados à morte; mas aqueles que o conheceram e viram suas poderosas obras e ainda assim continuam no mal serão duplamente castigados e morrerão para sempre. Desse modo, então, será purificada a Igreja de Deus. Pois como você viu as pedras rejeitadas da torre e entregues a espíritos do mal e expulsas de onde estavam, assim [eles também serão expulsos e] haverá um só corpo dos purificados, da mesma forma que a torre se tornou, por assim dizer, uma única pedra depois de sua purificação. Algo semelhante acontecerá com a Igreja de Deus, depois de ser purificada e depois da rejeição dos perversos, dos hipócritas, dos blasfemadores, dos hesitantes e daqueles que cometem maldades de diversas espécies. Depois que esses tiverem sido expulsos, a Igreja de Deus será um só corpo, uma só mente, um só entendimento, uma só fé e um só amor. E então o Filho de Deus se sentirá imensamente satisfeito e se rejubilará com eles, porque recebeu seu povo puro.

— Todas essas coisas, meu senhor — disse eu —, são notáveis e gloriosas.

— Além disso, meu senhor — disse eu —, explique-me o poder e as ações de cada uma das montanhas, para que cada alma, confiando no Senhor, e ouvindo isso, possa glorificar seu poderoso, maravilhoso e glorioso nome.

— Entenda — disse ele — a diversidade das montanhas e das doze nações.

Capítulo 19

— Da primeira montanha, que era preta, os crentes são os seguintes: apóstatas, blasfemadores do Senhor e traidores dos servos de Deus. Para esses o arrependimento não está disponível, mas a morte os aguarda; por isso são de cor preta, por serem de uma estirpe sem lei. Da segunda montanha, que era descalvada, os crentes são os seguintes: os hipócritas e os mestres da falsidade. Esses, consequentemente, são como os primeiros, não apresentando fruto algum da justiça; pois como sua montanha era desprovida de frutos, assim esses homens têm realmente um nome, mas são vazios de fé e neles os frutos da fé não existem. Eles de fato têm o arrependimento a seu alcance, se vierem a se arrepender logo; se demorarem a fazê-lo, morrerão juntamente com os primeiros.

— Por que, senhor — disse eu —, estes dispõem de arrependimento, mas os da primeira montanha não dispõem, considerando-se que as ações deles são praticamente as mesmas?

— Por esta razão — disse ele — porque não blasfemaram contra seu Senhor, nem traíram os servos de Deus. Mas por causa de seu desejo de posses eles se tornaram hipócritas, e cada um deles ensinou segundo os desejos de homens que eram pecadores. Mas eles sofrerão certo castigo, e o arrependimento está a seu alcance, porque não foram blasfemos nem traidores.

Capítulo 20

— E da terceira montanha, coberta de cardos e espinhos, os crentes são os seguintes: alguns dentre eles são ricos e outros estão mergulhados em suas ocupações. Os cardos são os ricos, e os espinhos são os que estão imersos em excessivas atividades. Esses, [consequentemente, que estão envolvidos em vários tipos de atividades, não] se apegam aos servos de Deus, mas deles se afastam temendo que lhes peçam alguma doação. Gente assim terá, naturalmente, dificuldades para entrar no reino de Deus. Pois assim como é desagradável caminhar sobre espinhos com pés descalços, também é difícil para eles entrar no reino de Deus. Mas para todos esses, se forem rápidos, está disponível o arrependimento, a fim de que eles possam praticar aquilo que deixaram da fazer no passado; assim viverão para Deus. Mas se persistirem em suas ações, eles serão entregues àquelas mulheres que os levarão à morte.

Capítulo 21

— E da quarta montanha, onde havia muita grama, e as partes superiores das plantas eram verdes, e as partes junto às raízes estavam secas, e algumas estavam castigadas pelo sol, os crentes são os seguintes: os que duvidam e os que falam do Senhor de boca cheia, mas não o têm no coração. Por causa disso suas fundações estão afetadas, e eles não têm forças, e somente suas palavras estão vivas, enquanto suas obras estão mortas. Essas pessoas não estão [nem mortas nem] vivas. Parecem-se, portanto, com os hesitantes: pois os hesitantes não são nem verdes nem secos; não estão nem mortos nem vivos. Pois como as folhas de grama, expostas ao sol, ficaram secas, assim os hesitantes, quando ouvem falar de aflição, por causa do medo, passam a adorar ídolos e se envergonham do nome de seu Senhor. Esses, então, não estão nem vivos nem mortos. Mas eles também ainda podem viver, se logo se arrependerem; se não o fizerem, já estarão entregues às mulheres [de preto], que lhes tiram a vida.

Capítulo 22

— E da quinta montanha, escabrosa e coberta de grama verde, os crentes são os seguintes: crentes de fato, mas lerdos na aprendizagem e obstinados e egoístas, ávidos por saber tudo sem saber absolutamente nada. Por causa da obstinação deles, o entendimento os abandonou, e foram tomados de tola insensatez. E eles se elogiam a si mesmos como donos da sabedoria e querem ser mestres, embora sejam destituídos de bom senso. Portanto, devido a essa mentalidade orgulhosa, muitos se tornaram vaidosos, exaltando-se a si mesmos: pois a teimosia e autoconfiança oca são um poderoso demônio. Desses, consequentemente, muitos foram rejeitados, mas alguns se arrependeram e passaram a crer, sujeitando-se àqueles que tinham discernimento, e reconheceram sua própria tolice. E para os demais dessa classe o arrependimento está disponível, pois não foram maldosos, mas sim tolos e desprovidos de discernimento. Portanto, se esses se arrependerem, viverão para Deus; mas se não o fizerem, terão sua morada com as mulheres que entre eles praticaram atos perversos.

Capítulo 23

— E da sexta montanha, cheia de fendas grandes e pequenas, com grama deteriorada entre elas, os crentes são os seguintes: os que ocupam pequenas fendas são os que movem pequenas causas uns contra os outros e por suas calúnias se deterioraram na fé. Muitos deles, porém, se arrependeram; e os demais também se arrependerão quando ouvirem meus mandamentos, pois suas calúnias são pequenas, e eles se arrependerão rapidamente. Mas os que ocupam as fendas grandes são persistentes em suas calúnias e vingativos em sua cólera mútua. Esses, portanto, foram atirados para longe da torre e excluídos de sua construção. Assim, essas pessoas terão dificuldades para viver. Se nosso Deus e Senhor, que tudo governa e tem poder sobre toda a criação, não se lembra do mal de quem confessou seus pecados, mas é misericordioso, será que o homem, que é corruptível e cheio de pecados, precisa se lembrar do mal contra seus semelhantes, como se ele pudesse destruí-los ou salvá-los? Eu, o anjo do arrependimento, digo a você: todos aqueles de vocês que assim pensam, abandonem esse modo de pensar, e o Senhor curará seus pecados anteriores, se vocês se purificarem desse demônio; mas se não o fizerem, vocês serão entregues a ele para a morte.

Capítulo 24

— E da sétima montanha, onde a grama era viçosa e todo o terreno era fértil, onde pastavam e se alimentavam todos os tipos de animais e aves do céu, e a grama que servia de alimento ia ficando sempre mais abundante, os crentes eram os seguintes: os que sempre foram simples, nunca fizeram mal a ninguém, sempre abençoaram, nunca se acusaram uns aos outros, mas sempre se alegraram muito por causa dos servos de Deus, sempre revestidos do santo espírito das virgens e sempre tendo compaixão por todo mundo e dando esmola do fruto de seu trabalho a todos os homens, sem censurar ninguém e sem hesitar. O Senhor, portanto, vendo a simplicidade deles e toda a sua mansidão, multiplicou entre eles os frutos de trabalho de suas mãos, e recompensou-os em todas as suas atividades. E eu, o anjo do arrependimento, digo a vocês que estão nesse estado: continuem sendo como esses, e sua prole nunca se extinguirá, pois o Senhor os testou e os inscreveu em nossas fileiras, e toda a sua descendência habitará com o Filho de Deus; pois vocês receberam o Espírito Santo.

Capítulo 25

— E da oitava montanha, onde havia muitas fontes, das quais bebiam todas as criaturas de Deus, os crentes eram os seguintes: apóstolos e mestres, que pregaram para o mundo inteiro e ensinaram de modo solene e puro a palavra do Senhor, e em nada cederam a maus desejos, mas trilharam sempre o caminho da justiça e da verdade, conforme o tinham recebido do Espírito Santo. Essas pessoas, portanto, entrarão [no céu] com os anjos.

Capítulo 26

— E da nona montanha, que era deserta e estava cheia de seres rastejantes e feras selvagens destruidoras de homens, os crentes eram os seguintes: os que apresentavam as manchas de servos que desempenharam mal sua função e roubaram o sustento de viúvas e órfãos e conseguiram posses pessoais com o ministério que haviam recebido. Se, portanto, eles permanecerem sob o domínio desses mesmos desejos, estarão fatalmente mortos e não haverá para eles esperança de vida; mas, caso se arrependam e levem seu ministério a bom termo na santidade, poderão viver. E aqueles que estavam cobertos de feridas eram os que negaram o Senhor e não voltaram novamente para ele; mas, tornando-se secos e semelhantes ao deserto e não se apegando aos servos de Deus, preferindo viver na solidão, estes destroem sua própria alma. Pois como a vinha abandonada em seu terreno cercado, sem cultivo algum, é destruída e devastada pelas ervas daninhas e rapidamente torna-se terra agreste, sem nenhuma utilidade para seu dono, assim acontece com esses homens que se entregaram ao desleixo e se tornaram inúteis para seu Senhor por terem adquirido hábitos desregrados. Esses homens, portanto, têm o arrependimento a seu alcance, a menos que se constate que são apóstatas convictos; mas, se isso for constatado, eu não sei se eles poderão viver. Digo isso não para aqueles dos dias de hoje, para que alguém que tenha agora apostatado possa obter o arrependimento, pois a salvação é impossível para quem pretende negar seu Senhor; mas, para aqueles que o negaram há muito tempo, o arrependimento parece possível. Se, portanto, alguém tem a intenção de se arrepender, que o faça já, antes que a torre seja concluída; caso contrário, essa pessoa será totalmente destruída pelas mulheres [de preto]. E as pedras lascadas são os trapaceiros e caluniadores; as feras selvagens que você viu na nona montanha são os mesmos. Pois como as feras selvagens destroem e matam com seu veneno, assim as palavras desses homens têm o poder de destruir e matar. Esses, consequentemente, são mutilados em sua fé por causa das obras que praticaram em seu íntimo; todavia, alguns se arrependeram e foram salvos. E os outros, que têm o mesmo caráter, podem se salvar caso venham a se arrepender; do contrário, perecerão com aquelas mulheres, cujo poder eles assumiram.

Capítulo 27

— E da décima montanha, onde as árvores cobriam certas ovelhas, os crentes são os seguintes: bispos habituados à hospitalidade, que sempre receberam alegremente em sua casa os servos de Deus, sem dissimulação. E os bispos que nunca deixaram de proteger, mediante seu serviço, as viúvas e os necessitados e sempre foram santos em suas conversações. Todos esses, consequentemente, serão protegidos pelo Senhor para sempre, e seu lugar já está reservado entre os anjos, se continuarem servindo a Deus até o fim.

Capítulo 28

— E da undécima montanha, onde havia árvores cheias de frutos de várias espécies, os crentes são os seguintes: os que sofreram pelo nome do Filho de Deus e de bom grado entregaram a própria vida.

— Por que, meu senhor — disse eu —, todas essas árvores produzem frutos, e alguns deles são mais belos que os demais?

— Ouça — disse ele. — Todos aqueles que algum dia sofreram pelo nome do Senhor são ilustres perante Deus; e os pecados de todos eles foram perdoados, porque sofreram pelo nome do Filho de Deus. E a razão pela qual seus frutos são de várias espécies, e alguns têm qualidade superior, é a seguinte: todos aqueles — prosseguiu — que foram levados à presença de autoridades e foram examinados e não apostataram, mas padeceram de bom grado, esses são tidos em maior consideração perante Deus, e seus frutos são superiores; mas todos os que se mostraram covardes e duvidaram, raciocinando em seu íntimo se deviam negar ou confessar e, mesmo assim, padeceram, produziram frutos inferiores, porque aquela sugestão surgiu em seu íntimo; pois essa sugestão, que um servo deve negar seu Senhor, é perversa. Portanto, tomem cuidado, vocês que estão planejando isso, para evitar que essa sugestão permaneça em seu coração, e vocês venham a perecer para Deus. E vocês que padecem pelo nome dele devem glorificar o Senhor, por ele tê-los considerado dignos de ostentar seu nome, para que todos os pecados de vocês possam ser curados. [Portanto, considerem-se felizes], e pensem que fizeram uma grande coisa, se alguns de vocês padecerem por causa de Deus. O Senhor lhes confere vida, e vocês não entendem porque seus pecados são muitos; mas se vocês não tivessem padecido pelo nome do Senhor, teriam morrido para Deus devido a seus pecados. Digo essas coisas para vocês que estão hesitando entre negar ou confessar: admitam que vocês têm o Senhor, para evitar que, negando-o, sejam mandados para o cárcere. Se os pagãos castigam seus escravos quando um deles não reconhece seu dono, o que, pergunto a vocês, fará o Senhor, que tem autoridade sobre todos os homens? Afastem de seu coração essas ideias, para que vocês possam sempre viver para Deus.

Capítulo 29

— E os crentes da duodécima montanha, que era branca, são os seguintes: eles são como crianças infantes, em cujo coração não se origina nenhuma maldade; tampouco souberam eles o que é perversidade, mas sempre permaneceram como crianças. Esses, consequentemente, moram sem dúvida no reino de Deus, porque em nada profanaram os mandamentos divinos, mas permaneceram como crianças, tendo a mesma mentalidade todos os dias de sua vida. Todos vocês, portanto, que permanecerem firmes e forem como crianças, sem praticar o mal, serão mais glorificados do que todos os que mencionei antes; pois todas as crianças são ilustres perante Deus e são as primeiras pessoas a lhe fazerem companhia. Abençoados, portanto, são vocês que afastam de si a perversidade e se revestem de inocência. Como os primeiros dentre todos vocês, viverão para Deus.

Depois que ele terminou as comparações das montanhas, eu lhe disse:

— Meu senhor, esclareça-me agora sobre as pedras que foram retiradas da planície e encaixadas na construção ocupando o lugar das que foram excluídas da torre; e sobre as pedras redondas que foram usadas na construção e aquelas que ainda continuam redondas.

Capítulo 30

— Ouça — disse ele — também sobre isso. Essas pedras retiradas da planície e encaixadas na construção da torre no lugar das que foram rejeitadas são as raízes desta montanha branca. Quando, portanto, se constatou que os crentes da montanha branca eram inocentes, o Senhor da torre ordenou que as pedras provenientes das raízes dessa montanha fossem encaixadas na construção da torre; pois ele sabia que, como parte da construção, continuariam brilhando, e nenhuma delas ficaria preta. Mas se ele tivesse tomado a mesma decisão em relação às outras montanhas, teria sido necessário que ele visitasse novamente a torre e a purificasse. Ora, constatou-se que branca era a cor de todos esses que criam, bem como a dos que ainda virão a crer, pois são da mesma estirpe. Essa é uma estirpe feliz porque é inocente. Ouça agora, além disso, sobre as pedras redondas e brilhantes. Todas essas também são da montanha branca. Ouça também por que se constatou que eram redondas: porque suas riquezas as haviam turvado e escurecido um pouco afastando-as da verdade, embora elas nunca tivessem se afastado de Deus, e nenhuma maldade houvesse saído de sua boca, mas apenas a justiça, a virtude e a verdade. Portanto, quando o Senhor viu a mente dessas pessoas, percebendo que haviam nascido boas e poderiam continuar boas, ele ordenou que a riqueza delas fosse reduzida (mas não eliminada para sempre), para que elas pudessem praticar algum bem com o que lhes sobrava; e elas viverão para Deus, porque são de boa estirpe. Por isso, foram arredondadas um pouco pelo buril e encaixadas na construção da torre.

Capítulo 31

— Mas as outras pedras redondas, que ainda não haviam sido adaptadas na construção da torre e não haviam recebido o selo, foram por isso mesmo devolvidas a seu lugar de origem por serem redondas demais. Agora, esta nossa época deve ser cortada nessas coisas e na vaidade de suas riquezas, e então essas pessoas se encontrarão no reino de Deus, uma vez que deverão inevitavelmente entrar nesse reino, porque o Senhor abençoou essa estirpe inocente. Dessa estirpe, portanto, ninguém perecerá; pois, embora alguns deles sejam tentados pelo mais perverso dos demônios e venham a pecar, eles logo voltarão para seu Senhor. E considero felizes, eu, que sou o anjo do arrependimento, todos aqueles dentre vocês que são inocentes como crianças, porque sua parte é boa e nobre perante Deus. Além disso, a todos vocês que receberam o selo do Filho de Deus eu peço que se revistam de simplicidade, não se ressintam de ofensas, nem permaneçam na maldade. Deixem de lado, portanto, a lembrança de ofensas recebidas e sua amargura, e vocês terão unanimidade de espírito. Curem-se e afastem-se daquelas perversas divisões, para que, se o Senhor dos rebanhos voltar, ele possa rejubilar-se em relação a vocês. E ele se alegrará se encontrar tudo perfeito, e nenhum de vocês perecerá. Mas se ele achar algumas das ovelhas desgarradas, ai dos pastores! E se os próprios pastores se houverem desgarrado, como se responsabilizarão diante dele por seus rebanhos? Será que eles lhe dirão que foram fustigados por seus rebanhos? Ninguém acreditará neles, pois não se pode acreditar que um rebanho possa pressionar seu pastor. Pelo contrário, ele será punido por sua falsidade. Eu mesmo sou pastor e tenho a mais severa obrigação de prestar contas em relação a vocês.

Capítulo 32

— Curem-se, portanto, enquanto a torre ainda está em construção. O Senhor mora em homens que amam a paz, porque ele amou a paz, mas está longe dos briguentos e totalmente perversos. Devolvam-lhe, portanto, um espírito tão perfeito como o que vocês receberam. Pois quando vocês entregaram ao tintureiro uma roupa nova, querem depois que ela seja devolvida; e então, se o tintureiro devolver a roupa rasgada, será que vocês a levam assim mesmo e não preferem mostrar sua indignação e insultá-lo, dizendo: "Eu lhe entreguei uma roupa intacta. Por que está rasgada? Quem pode usá-la com esse rasgo que você fez?". Será que vocês simplesmente não diriam nada disso ao tintureiro diante da descoberta do rasgão na roupa? Se, portanto, vocês se queixam acerca de sua roupa que não foi devolvida inteira, que acham que fará com vocês o Senhor, que lhes deu um espírito perfeito, que vocês tornaram completamente inútil, de modo que não pode ter nenhuma utilidade para seu dono? Corrompendo-o, vocês o inutilizaram. Portanto, será que o Senhor, diante dessa sua conduta em relação a seu Espírito, não agirá da mesma forma e os entregará à morte? Seguramente, digo eu, ele fará a mesma coisa com todos aqueles que encontrar alimentando lembranças de ofensas recebidas. Não espezinhem sua misericórdia, diz ele; antes, honrem-no por ele ser tão paciente com seus pecados e por não ser como vocês. Arrependam-se, pois isso é útil para vocês.

Capítulo 33

— Todas essas coisas escritas acima, eu, o Pastor, o mensageiro do arrependimento, mostrei e expliquei para os servos de Deus. Se, portanto, vocês acreditarem e ouvirem minhas palavras e as seguirem corrigindo seu comportamento, vocês terão conquistado o poder da vida; mas se permanecerem na perversidade, alimentando lembranças de ofensas recebidas, nenhum pecador dessa classe viverá para Deus. Todas as palavras que eu tinha a dizer já lhes foram ditas.

O Pastor me disse:

— Você já perguntou tudo?

E eu respondi:

— Sim, senhor.

— Por que você não me perguntou sobre as formas das pedras que foram encaixadas na construção, para que eu pudesse explicar-lhe por que as rejuntamos?

E eu disse:

— Esqueci, meu senhor.

— Ouça, então, agora — disse ele — a explicação disso também. Essas pedras são aqueles que agora ouviram meus mandamentos e se arrependeram de todo o coração. E quando o Senhor viu que esse arrependimento era bom e sincero e que eles saberiam manter-se nele, ordenou que seus pecados anteriores fossem apagados. Pois essas formas [das pedras] eram seus pecados, e elas foram niveladas para que não mais aparecessem.

Décima comparação
Sobre o arrependimento
e a doação de esmolas

Capítulo 1

Depois que eu havia terminado de escrever este livro, o mensageiro que me confiara ao Pastor entrou na casa onde me encontrava e sentou-se sobre o leito, tendo o Pastor a sua direita. Ele então me chamou e me disse o seguinte:

— Eu entreguei a você e a sua casa este Pastor, para que vocês tenham sua proteção.

— Sim, senhor — disse eu.

— Se, portanto, você quiser ser protegido — prosseguiu — de todos os aborrecimentos e de toda severidade, e ter sucesso em todas as suas boas obras e palavras, e possuir todas as virtudes da retidão, trilhe o caminho desses mandamentos que lhe dei, e será capaz de subjugar toda maldade. Pois se observar esses mandamentos, todos os desejos e prazeres do mundo se sujeitarão a você, e o sucesso o acompanhará em todas as boas obras. Tome para si a experiência e moderação dele, e diga a todos que ele goza de grande honra e dignidade perante Deus e preside seu ofício com grande força e poder. A ele somente, no mundo inteiro, foi atribuído o poder do arrependimento. Ele lhe parece poderoso? Mas vocês desprezam sua experiência e a moderação que ele exerce em relação a vocês.

Capítulo 2

E eu lhe disse:

— Pergunte a ele mesmo, meu senhor, se desde o dia em que entrou em minha casa eu cometi alguma impropriedade ou de algum modo o ofendi ou desrespeitei.

Ele respondeu:

— Também sei que você não cometeu, nem cometerá, nenhuma impropriedade, e por isso lhe dirijo estas palavras, para que você possa perseverar. Ele, de fato, me fez um relatório positivo a seu respeito, e você dirá aos outros estas palavras, para que aqueles que também se arrependeram ou virão a fazê-lo possam compartilhar com você os mesmos sentimentos, e ele possa apresentar, a mim e ao Senhor, um relatório positivo sobre eles.

E eu disse:

— Senhor, eu dou a conhecer a todos os homens as grandes obras de Deus; e espero que todos que o amam, e que pecaram perante ele, ao ouvir essas palavras, possam se arrepender e receber de novo a vida.

— Continue, portanto, nesse ministério, e leve-o a bom termo. Todos aqueles que cumprem suas ordens até o fim terão vida e grande honra junto ao Senhor. Mas aqueles que não obedecem a seus mandamentos, fogem da vida do Pastor e o desprezam. Mas ele tem sua honra perante o Senhor. Portanto, todos que o desprezam e não seguem suas ordens entregam-se à morte, e todos serão culpados por sua própria morte. Mas eu lhes recomendo: obedeçam a seus mandamentos, e vocês terão a cura de seus pecados do passado.

Capítulo 3

— Além disso, eu lhe enviei essas virgens para que elas possam morar em sua casa. Pois vi que elas foram corteses com você. Elas são, portanto, suas assistentes, a fim de que você tenha mais facilidade para observar seus mandamentos: pois é impossível observá-los sem essas virgens. Vejo, além disso, que elas de bom grado convivem com você; mas também lhes darei instruções para não deixarem de modo algum sua casa: simplesmente mantenha-a limpa, pois elas sentirão um grande prazer por morar numa residência imaculada. Pois elas são puras, castas e diligentes, e têm toda influência junto ao Senhor. Portanto, se elas encontrarem sua casa limpa, permanecerão com você; mas se alguma profanação, por menor que seja, acontecer em sua casa, elas imediatamente se retirarão dela. Pois essas virgens absolutamente não gostam de nenhuma profanação.

Eu lhe disse:

— Espero, meu senhor, que eu possa lhes agradar, de modo que elas sempre se disponham a morar em minha casa. E, como aquele a quem o senhor me confiou não tem nenhuma queixa contra mim, elas também não terão.

Ele disse ao Pastor:

— Vejo que este servo de Deus deseja viver e observar esses mandamentos, e providenciará uma habitação pura para estas virgens.

Quando ele havia proferido essas palavras, novamente me confiou ao Pastor, e chamou as virgens e lhes disse:

— Uma vez que percebo que vocês estão dispostas a morar nesta casa, eu o confio a vocês juntamente com sua casa, pedindo-lhes que de modo algum se afastem dela.

E as virgens ouviram essas palavras com prazer.

Capítulo 4

O anjo então me disse:

— Dedique-se corajosamente a esse serviço, e leve ao conhecimento de todos as coisas de Deus, e você será agraciado nesse ministério. Quem, portanto, trilhar o caminho desses mandamentos, terá vida e será feliz; mas quem os negligenciar não terá vida e será infeliz. Ordene a todos que têm a capacidade de agir corretamente que não deixem de praticar o bem; pois a prática de boas obras lhes é útil. E digo também que todos os homens devem ser poupados de aborrecimentos. Pois tanto quem passa necessidades como quem tem aborrecimentos no dia a dia da vida provam um grande tormento e muita carência. Quem, portanto, resgata uma alma dessa situação conquistará para si uma grande alegria. Pois quem é atormentado por aborrecimentos dessa natureza sofre uma tortura igual à de quem está acorrentado. Além disso, por causa de calamidades dessa natureza, sentindo-se incapazes de suportá-las, muitos apressam a própria morte. Quem, portanto, sabe que uma calamidade semelhante se abate sobre alguém e não lhe oferece ajuda comete um grande pecado e torna-se culpado de sua morte. Pratiquem, portanto, boas obras, vocês que do Senhor receberam o bem, para evitar que, enquanto vocês as deixam para depois, a construção da torre seja concluída, e vocês acabem excluídos do edifício. Não existe agora nenhuma outra torre em construção. Pois foi por sua causa que o trabalho da construção foi suspenso. Então, se vocês não se apressarem em agir corretamente, a torre será concluída, e vocês serão excluídos.

Depois dessa conversa comigo, ele se levantou e, levando o Pastor e as virgens, foi embora. Mas disse-me que enviaria o Pastor e as virgens de volta para a minha morada. Amém.

Compartilhe suas impressões de leitura escrevendo para:
opiniao-do-leitor@mundocristao.com.br
Acesse nosso *site*: www.mundocristao.com.br.

Equipe MC:	Daniel Faria (editor)
	Heda Lopes
	Natália Custódio
Diagramação:	Felipe Marques
Fonte:	Janson Text
Gráfica:	Imprensa da Fé
Papel:	Chambril Avena 70 g/m² (miolo)
	Cartão 250 g/m² (capa)